LE SERMON SUR LA CHUTE DE ROME

DU MÊME AUTEUR

Variétés de la mort, Albiana, 2001.
Aleph zéro, Albiana, 2002 ; Babel n° 1164.
Dans le secret, Actes Sud, 2007 ; Babel n° 1022.
Balco Atlantico, Actes Sud, 2008 ; Babel n° 1138.
Un dieu un animal, Actes Sud, 2009 (prix Landerneau) ; Babel n° 1113.
Où j'ai laissé mon âme, Actes Sud, 2010 (grand prix Poncetton de la SGDL, prix roman France Télévisions, prix Initiales, prix Larbaud).
Le Sermon sur la chute de Rome, Actes Sud, 2012 (prix Goncourt).

ISBN 978-2-330-02280-8

JÉRÔME FERRARI

LE SERMON SUR LA CHUTE DE ROME

roman

BABEL

à mon grand-oncle, Antoine Vesperini

Tu es étonné parce que le monde touche à sa fin ? Étonne-toi plutôt de le voir parvenu à un âge si avancé. Le monde est comme un homme : il naît, il grandit et il meurt. [...] Dans sa vieillesse, l'homme est donc rempli de misères, et le monde dans sa vieillesse est aussi rempli de calamités. [...] Le Christ te dit : Le monde s'en va, le monde est vieux, le monde succombe, le monde est déjà haletant de vétusté, mais ne crains rien : ta jeunesse se renouvellera comme celle de l'aigle.

SAINT AUGUSTIN,
sermon 81, § 8, décembre 410.

"Peut-être Rome n'a-t-elle pas péri
si les Romains ne périssent pas"

Comme témoignage des origines – comme témoignage de la fin, il y aurait donc cette photo, prise pendant l'été 1918, que Marcel Antonetti s'est obstiné à regarder en vain toute sa vie pour y déchiffrer l'énigme de l'absence. On y voit ses cinq frères et sœurs poser avec sa mère. Autour d'eux, tout est d'un blanc laiteux, on ne distingue ni sol ni murs, et ils semblent flotter comme des spectres dans la brume étrange qui va bientôt les engloutir et les effacer. Elle est assise en robe de deuil, immobile et sans âge, un foulard sombre sur la tête, les mains posées à plat sur les genoux, et elle fixe si intensément un point situé bien au-delà de l'objectif qu'on la dirait indifférente à tout ce qui l'entoure – le photographe et ses instruments, la lumière de l'été et ses propres enfants, son fils Jean-Baptiste, coiffé d'un béret à pompon, qui se blottit craintivement contre elle, serré dans un costume marin trop étroit, ses trois filles aînées, alignées derrière elle, toutes raides et endimanchées, les bras figés le long du corps et, seule au premier plan, la plus jeune, Jeanne-Marie, pieds nus et en haillons, qui dissimule son petit visage blême et boudeur derrière les longues mèches désordonnées de ses cheveux noirs. Et à chaque fois qu'il croise le regard de sa mère, Marcel a l'irrépressible certitude qu'il lui est destiné et qu'elle cherchait déjà, jusque dans les limbes, les yeux du fils encore à naître, et qu'elle ne connaît pas. Car sur cette photo, prise pendant une journée caniculaire de l'été 1918, dans la cour de l'école où un photographe ambulant a tendu un drap blanc entre deux tréteaux, Marcel contemple d'abord le spectacle de sa propre absence. Tous ceux qui vont bientôt l'entourer de leurs soins, peut-être de leur amour, sont là mais, en vérité, aucun d'eux ne pense à lui et il ne manque à personne. Ils ont sorti les habits de fête qu'ils ne mettent jamais d'un placard truffé de naphtaline et il leur a fallu consoler Jeanne-Marie, qui n'a que quatre ans et ne possède encore ni robe neuve ni chaussures, avant de monter tous ensemble vers l'école, sans doute heureux que quelque chose se passe enfin qui les arrache un instant à la monotonie et à la solitude de leurs années de guerre. La cour de l'école est pleine de monde. Toute la journée, dans la canicule de l'été 1918, le photographe a fait le portrait de femmes et d'enfants, d'infirmes, de vieillards et de prêtres, qui défilaient devant son objectif pour y chercher eux aussi un répit et la mère de Marcel, et ses frère et sœurs, ont patiemment attendu leur tour en séchant de temps en temps les larmes de Jeanne-Marie qui avait honte de sa robe trouée et de ses pieds nus. Au moment de prendre la photo, elle a refusé de poser avec les autres et il a fallu tolérer qu'elle reste debout toute seule, au premier rang, à l'abri de ses cheveux ébouriffés. Ils sont réunis et Marcel n'est pas là. Et pourtant, par le sortilège d'une incompréhensible symétrie, maintenant qu'il les a portés en terre l'un après l'autre, ils n'existent plus que grâce à lui et à l'obstination de son regard fidèle, lui auquel ils ne pensaient même pas en retenant leur respiration au moment où le photographe déclenchait l'obturateur de son appareil, lui qui est maintenant leur unique et fragile rempart contre le néant, et c'est pour cela qu'il sort encore cette photo du tiroir où il la conserve soigneusement, bien qu'il la déteste comme il l'a, au fond, toujours détestée, parce que s'il néglige un jour de le faire, il ne restera plus rien d'eux, la photo redeviendra un agencement inerte de taches noires et grises et Jeanne-Marie cessera pour toujours d'être une petite fille de quatre ans. Il les toise parfois avec colère, il a envie de leur reprocher leur manque de clairvoyance, leur ingratitude, leur indifférence, mais il croise les yeux de sa mère et il s'imagine qu'elle le voit, jusque dans les limbes qui retiennent captifs les enfants à naître, et qu'elle l'attend, même si, en vérité, Marcel n'est pas, et n'a jamais été, celui qu'elle cherche désespérément du regard. Car elle cherche, bien au-delà de l'objectif, celui qui devrait se tenir debout près d'elle et dont l'absence est si aveuglante qu'on pourrait croire que cette photo n'a été prise pendant l'été 1918 que pour la rendre tangible et en conserver la trace. Le père de Marcel a été fait prisonnier dans les Ardennes au cours des premiers combats et il travaille depuis le début de la guerre dans une mine de sel en Basse-Silésie. Tous les deux mois, il envoie une lettre qu'il fait écrire par l'un de ses camarades et que les enfants lisent avant de la traduire à haute voix à leur mère. Les lettres mettent tant de temps à leur parvenir qu'ils ont toujours peur d'entendre seulement les échos de la voix d'un mort, portés par une écriture inconnue. Mais il n'est pas mort et il rentre au village en février 1919 afin que Marcel puisse voir le jour. Ses cils ont brûlé, les ongles de ses mains sont comme rongés par l'acide et l'on voit sur ses lèvres craquelées les traces blanches de peaux mortes dont il ne pourra jamais se débarrasser. Il a sans doute regardé ses enfants sans les reconnaître mais son épouse n'avait pas changé parce qu'elle n'avait jamais été jeune ni fraîche, et il l'a serrée contre lui bien que Marcel n'ait jamais compris ce qui avait bien pu pousser l'un vers l'autre leurs deux corps desséchés et rompus, ce ne pouvait être le désir, ni même un instinct animal, peut-être était-ce seulement parce que Marcel avait besoin de leur étreinte pour quitter les limbes au fond desquels il guettait depuis si longtemps, attendant de naître, et c'est pour répondre à son appel silencieux qu'ils ont rampé cette nuit-là l'un sur l'autre dans l'obscurité de leur chambre, sans faire de bruit pour ne pas alerter Jean-Baptiste et Jeanne-Marie qui faisaient semblant de dormir, allongés sur leur matelas dans un coin de la pièce, le cœur battant devant le mystère des craquements et des soupirs rauques qu'ils comprenaient sans pouvoir le nommer, pris de vertige devant l'ampleur du mystère qui mêlait si près d'eux la violence à l'intimité, tandis que leurs parents s'épuisaient rageusement à frotter leurs corps l'un à l'autre, tordant et explorant la sécheresse de leurs propres chairs pour en ranimer les sources anciennes taries par la tristesse, le deuil et le sel et puiser, tout au fond de leurs ventres, ce qu'il y restait d'humeurs et de glaires, ne serait-ce qu'une trace d'humidité, un peu du fluide qui sert de réceptacle à la vie, une seule goutte, et ils ont fait tant d'efforts que cette goutte unique a fini par sourdre et se condenser en eux, rendant la vie possible, alors même qu'ils n'étaient plus qu'à peine vivants. Marcel a toujours imaginé – il a toujours craint de n'avoir pas été voulu mais seulement imposé par une nécessité cosmique impénétrable qui lui aurait permis de croître dans le ventre sec et hostile de sa mère tandis qu'un vent fétide se levait et portait depuis la mer et les plaines insalubres les miasmes d'une grippe mortelle, balayant les villages et jetant par dizaines dans les fosses creusées à la hâte ceux qui avaient survécu à la guerre, sans que rien pût l'arrêter, comme la mouche venimeuse des légendes anciennes, cette mouche née de la putréfaction d'un crâne maléfique et qui avait surgi un matin du néant de ses orbites vides pour exhaler son haleine empoisonnée et se nourrir de la vie des hommes jusqu'à devenir si monstrueusement grosse, son ombre plongeant dans la nuit des vallées entières, que seule la lance de l'Archange put enfin la terrasser. L'Archange avait depuis longtemps regagné son séjour céleste d'où il restait sourd aux prières et aux processions, il s'était détourné de ceux qui mouraient, à commencer par les plus faibles, les enfants, les vieillards, les femmes enceintes, mais la mère de Marcel restait debout, inébranlable et triste, et le vent qui soufflait sans relâche autour d'elle épargnait son foyer. Il finit par tomber, quelques semaines avant la naissance de Marcel, cédant la place au silence qui s'abattit sur les champs envahis de ronces et de mauvaises herbes, sur les murs de pierre effondrés, sur les bergeries désertes et les tombeaux. Quand on l'extirpa du ventre de sa mère, Marcel demeura immobile et silencieux pendant de longues secondes avant de pousser brièvement un faible cri et il fallait s'approcher de ses lèvres pour sentir la chaleur d'une respiration minuscule qui ne laissait sur les miroirs aucune trace de condensation. Ses parents le firent baptiser dans l'heure. Ils s'assirent près de son berceau en posant sur lui un regard plein de nostalgie, comme s'ils l'avaient déjà perdu, et c'est ainsi qu'ils le regardèrent pendant toute son enfance. À chaque fièvre bénigne, à chaque nausée, à chaque quinte de toux, ils le veillaient comme un mourant, accueillant chaque guérison comme un miracle dont il ne fallait pas espérer qu'il se répète car rien ne s'épuise plus vite que l'improbable miséricorde de Dieu. Mais Marcel ne cessait pas de guérir et il vivait, d'autant plus opiniâtre qu'il était fragile, comme s'il avait appris dans l'obscurité sèche du ventre de sa mère à consacrer efficacement toutes ses faibles ressources à la tâche épuisante de survivre jusqu'à en devenir invulnérable. Un démon rôdait sans cesse autour de lui, dont ses parents redoutaient la victoire, mais Marcel savait qu'il ne vaincrait pas, il aurait beau le jeter sans forces au fond de son lit, l'épuiser de migraines et de diarrhées, il ne vaincrait pas, il pouvait même s'installer en lui pour y allumer les feux de l'ulcère et le faire cracher du sang avec une telle violence que Marcel dut manquer une année entière d'école, il ne vaincrait pas, Marcel finirait toujours par se relever, même s'il sentait toujours dans son estomac la présence d'une main à l'affût qui attendait d'en déchirer les parois délicates du bout de ses doigts tranchants, car telle devait être la vie qui lui avait été donnée, constamment menacée et constamment triomphante. Il ménageait ses forces, ses affections, ses émerveillements, son cœur ne s'emballait pas quand Jeanne-Marie venait le chercher en criant, Marcel, viens vite, il y a un homme qui vole devant la fontaine, et ses yeux ne cillaient pas en regardant passer le premier cycliste qu'on eût jamais vu au village, qui dévalait la route à toute allure, les pans de sa veste flottant derrière lui comme des ailes d'échassier et il voyait sans émotion son père se lever à l'aube pour aller cultiver des terres qui ne lui appartenaient pas et s'occuper de bêtes qui n'étaient pas les siennes, alors que s'élevaient de toutes parts les monuments aux morts sur lesquels des femmes de bronze qui ressemblaient à sa mère poussaient devant elles d'un geste auguste et décidé l'enfant qu'elles consentaient à sacrifier à la patrie, aux côtés de soldats qui tombaient la bouche ouverte en brandissant des drapeaux, comme si après avoir payé le prix de la chair et du sang, il fallait maintenant offrir à un monde disparu le tribut de symboles qu'il réclamait pour s'effacer définitivement et laisser enfin sa place au monde nouveau. Mais rien ne se passait, un monde avait bel et bien disparu sans qu'aucun monde nouveau ne vienne le remplacer, les hommes abandonnés, privés de monde, continuaient la comédie de la génération et de la mort, les sœurs aînées de Marcel se mariaient, l'une après l'autre, et l'on mangeait des beignets rassis sous un implacable soleil mort, en buvant du mauvais vin et en s'astreignant à sourire comme si quelque chose allait enfin advenir, comme si les femmes devaient finir par engendrer, avec leurs enfants, le monde nouveau lui-même, mais rien ne se passait, le temps n'apportait rien de plus que la succession monotone de saisons qui se ressemblaient toutes et ne promettaient que la malédiction de leur permanence, le ciel, les montagnes et la mer se figeaient dans l'abîme du regard des bêtes qui traînaient sans fin leurs carcasses maigres au bord des fleuves, dans la poussière ou dans la boue et, au fond des maisons, à la lueur des bougies, tous les miroirs reflétaient des regards semblables, les mêmes abîmes creusés dans des visages de cire. Quand la nuit tombait, recroquevillé au fond de son lit, Marcel sentait son cœur se serrer d'une angoisse mortelle parce qu'il savait que cette nuit profonde et silencieuse n'était pas le prolongement naturel et provisoire du jour mais quelque chose de terrifiant, un état fondamental dans lequel retombait la terre, après un effort épuisant de douze heures, et auquel elle n'échapperait jamais plus. L'aube n'annonçait qu'un nouveau sursis et Marcel partait vers l'école, s'arrêtant parfois en chemin pour vomir du sang en se promettant de ne rien dire à sa mère qui l'obligerait à se coucher et prierait agenouillée à ses côtés en lui appliquant des compresses brûlantes sur le ventre, il ne voulait plus permettre que son démon l'arrache aux seules choses qui faisaient sa joie, les leçons du maître, les cartes de géographie colorées et la majesté de l'histoire, les inventeurs et les savants, les enfants sauvés de la rage, les dauphins et les rois, tout ce qui lui permettait de croire encore que, de l'autre côté de la mer, il y avait un monde, un monde palpitant de vie dans lequel les hommes savaient encore faire autre chose que prolonger leur existence dans la souffrance et le désarroi, un monde qui pouvait inspirer d'autres désirs que celui de le quitter au plus vite, car de l'autre côté de la mer, il en était sûr, on fêtait depuis des années l'avènement d'un monde nouveau, celui que Jean-Baptiste s'en alla rejoindre en 1926, mentant sur son âge pour pouvoir s'engager, effacer la mer et découvrir enfin, en compagnie des jeunes garçons qui fuyaient avec lui par centaines sans que leurs parents résignés ne trouvent, malgré les déchirements de l'adieu, aucune raison de les retenir, à quoi pouvait ressembler un monde. À table, près de Jeanne-Marie, Marcel mangeait en fermant les yeux pour rejoindre Jean-Baptiste sur des océans fabuleux, là où glissaient les jonques des pirates, dans des villes païennes pleines de chants, de fumée et de cris, et dans des forêts parfumées peuplées d'animaux sauvages et d'indigènes redoutables qui regarderaient son frère avec respect et terreur comme s'il était l'Archange invincible, le destructeur des fléaux, à nouveau dévoué au salut des hommes, et, au catéchisme, il écoutait sans rien dire les mensonges de l'évangéliste car il savait ce qu'était une apocalypse et il savait qu'à la fin du monde le ciel ne s'ouvrait pas, qu'il n'y avait ni cavaliers ni trompettes ni nombre de la bête, aucun monstre, mais seulement le silence, si bien qu'on pouvait croire qu'il ne s'était rien passé. Non, rien ne s'était passé, les années coulaient comme du sable, et rien ne se passait encore et ce rien étendait sur toute chose la puissance de son règne aveugle, un règne mortel et sans partage dont nul ne pouvait plus dire quand il avait commencé. Car le monde avait déjà disparu au moment où fut prise cette photo, pendant l'été 1918, afin que quelque chose demeure pour témoigner des origines, et aussi de la fin, il avait disparu sans que personne s'en aperçoive et c'est avant tout son absence, la plus énigmatique et la plus redoutable des absences fixées ce jour-là sur le papier par le sel d'argent, que Marcel a contemplée toute sa vie, en suivant la trace dans la blancheur laiteuse du vignettage, sur les visages de sa mère, de son frère et de ses sœurs, dans la moue boudeuse de Jeanne-Marie, dans l'insignifiance de leurs pauvres présences humaines alors que le sol se dérobait sous leurs pieds ne leur laissant plus d'autre choix que de flotter comme des spectres dans un espace abstrait et infini, sans issue ni directions, dont même l'amour qui les liait ne pourrait les sauver parce qu'en l'absence du monde, l'amour lui-même est impuissant. Nous ne savons pas, en vérité, ce que sont les mondes ni de quoi dépend leur existence. Quelque part dans l'univers est peut-être inscrite la loi mystérieuse qui préside à leur genèse, à leur croissance et à leur fin. Mais nous savons ceci : pour qu'un monde nouveau surgisse, il faut d'abord que meure un monde ancien. Et nous savons aussi que l'intervalle qui les sépare peut être infiniment court ou au contraire si long que les hommes doivent apprendre pendant des dizaines d'années à vivre dans la désolation pour découvrir immanquablement qu'ils en sont incapables et qu'au bout du compte, ils n'ont pas vécu. Peut-être pouvons-nous même reconnaître les signes presque imperceptibles qui annoncent qu'un monde vient de disparaître, non pas le sifflement des obus par-dessus les plaines éventrées du Nord, mais le déclenchement d'un obturateur, qui trouble à peine la lumière vibrante de l'été, la main fine et abîmée d'une jeune femme qui referme tout doucement, au milieu de la nuit, une porte sur ce qui n'aurait pas dû être sa vie, ou la voile carrée d'un navire croisant sur les eaux bleues de la Méditerranée, au large d'Hippone, portant depuis Rome la nouvelle inconcevable que des hommes existent encore, mais que leur monde n'est plus.

"N'éprouvez donc pas de réticences, frères, pour les châtiments de Dieu"

Au milieu de la nuit, en prenant bien soin de ne faire aucun bruit quoique personne ne pût l'entendre, Hayet referma la porte du petit appartement qu'elle avait occupé pendant huit ans au-dessus du bar dans lequel elle travaillait comme serveuse et puis elle disparut. Vers dix heures du matin, les chasseurs rentrèrent de battue. Sur le plateau des pick-up, les chiens encore enivrés par la course et l'odeur du sang se pressaient les uns contre les autres en remuant la queue frénétiquement, ils gémissaient et lançaient des aboiements hystériques auxquels les hommes, presque aussi joyeux et survoltés qu'eux, répondaient par des injures et des malédictions, et la grosse carcasse de Virgile Ordioni était toute secouée de rires étouffés tandis que les autres lui tapaient sur l'épaule en le félicitant parce qu'il avait à lui seul tué trois des cinq sangliers de la matinée, et Virgile rougissait et riait, tandis que Vincent Leandri, qui avait piteusement manqué un gros mâle à moins de trente mètres, se plaignait de n'être plus bon à rien et disait que la seule raison pour laquelle il s'obstinait à participer aux battues, c'était l'apéritif qui suivait et quelqu'un cria alors que le bar était fermé. Hayet avait toujours été aussi régulière et fiable que la trajectoire des astres et Vincent songea immédiatement qu'il lui était arrivé malheur. Il monta en courant jusqu'à l'appartement et frappa d'abord doucement à la porte avant de tambouriner, toujours en vain, en criant,

— Hayet ! Hayet ! est-ce que ça va ? Réponds, s'il te plaît !

et il annonça qu'il allait défoncer la porte. Quelqu'un suggéra à Vincent de se calmer, Hayet avait pu partir faire une course urgente, quoiqu'il fût extrêmement difficile, et même presque impossible, d'imaginer la moindre course à faire au village au début de l'automne, de surcroît un dimanche matin, et plus encore une course dont l'urgence eût été telle qu'elle aurait justifié la fermeture du bar, mais sait-on jamais ? et Hayet allait forcément revenir, mais elle ne revenait pas et Vincent répétait que maintenant il allait défoncer la porte pour de bon, il devenait de plus en plus difficile de le maîtriser et finalement tout le monde convint que la solution raisonnable consistait à aller prévenir Marie-Angèle Susini que sa serveuse, si invraisemblable que cela puisse paraître, était absente. Marie-Angèle les accueillit avec incrédulité et les soupçonna même d'être déjà saouls et de lui faire une farce douteuse mais, mis à part Virgile qui riait encore de temps en temps sans savoir pourquoi, ils avaient tous l'air épuisés de fatigue, parfaitement sobres et vaguement inquiets et Vincent Leandri semblait même dévasté si bien que Marie-Angèle prit les doubles des clés du bar et de l'appartement et les suivit, elle aussi de plus en plus inquiète, et elle monta ouvrir l'appartement de Hayet. Le ménage avait été fait avec un soin méticuleux, il n'y avait pas un grain de poussière, les faïences et la robinetterie luisaient de propreté, les placards et les tiroirs étaient vides, les draps du lit et les taies d'oreiller avaient été changés, il ne restait rien de

Hayet, aucune boucle d'oreille qui aurait pu glisser derrière un meuble, aucune barrette oubliée dans un coin de la salle de bains, aucun bout de papier, pas même un cheveu, et Marie-Angèle fut surprise de ne sentir aucun autre parfum que celui des produits d'entretien comme si, depuis des années, aucun être humain n'avait vécu ici. Elle regardait l'appartement mort, elle ne comprenait pas pourquoi Hayet était partie comme ça, sans un mot d'adieu, mais elle savait qu'elle ne reviendrait pas et qu'elle ne la reverrait jamais. Elle entendit une voix qui disait,

— On devrait quand même appeler les flics,

mais elle secoua tristement la tête et personne n'insista parce qu'il était clair que la tragédie silencieuse qui s'était jouée ici, à un moment indéterminé de la nuit, ne concernait qu'une seule personne, égarée dans les abîmes de son cœur solitaire auquel la société des hommes ne pouvait plus rendre justice. Ils se turent un instant et quelqu'un dit timidement,

— Puisque tu es là, Marie-Angèle, tu pourrais l'ouvrir, le bar, pour qu'on puisse quand même prendre notre apéritif,

et Marie-Angèle acquiesça silencieusement. Un murmure de satisfaction traversa le groupe des chasseurs, Virgile se mit à rire très fort et ils se dirigèrent vers le bar tandis que les chiens aboyaient et gémissaient sous le soleil et que Vincent Leandri murmurait,

— Vous êtes une bande d'ivrognes et une bande d'enculés,

et les suivait dans le bar. Marie-Angèle, derrière le comptoir, refaisait les gestes qu'elle connaissait si bien et qu'elle aurait tant voulu oublier, s'affairant avec aisance entre les verres et les bacs à glaçons, notant mentalement, dans l'ordre et sans la moindre erreur, les commandes de tournées lancées à un rythme infernal par des voix tonitruantes et de moins en moins assurées, elle écoutait les conversations décousues, les mêmes histoires racontées cent fois avec leurs variantes et leurs invraisemblables hyperboles, la manière dont Virgile Ordioni n'oubliait jamais de découper dans les entrailles fumantes du sanglier mort de fines lamelles de foie qu'il mangeait comme ça, toutes chaudes et crues, avec une placidité d'homme préhistorique, malgré les cris de dégoût auxquels il répondait en évoquant la mémoire de son pauvre père qui lui avait toujours enseigné qu'il n'y avait rien de meilleur pour la santé, et le bar retentissait maintenant des mêmes cris de dégoût, des poings serrés tapant sur le zinc du comptoir éclaboussé de pastis, et il y avait encore des rires et on disait que Virgile était un animal mais un sacré bon tireur et, tout seul dans un coin, Vincent Leandri fixait son verre avec des yeux remplis de désespoir. Plus le temps passait, plus il apparaissait clairement à Marie-Angèle qu'elle n'était pas prête à reprendre ce travail qui lui était devenu encore plus insupportable qu'elle ne l'aurait cru. Pendant des années, elle s'était reposée sur Hayet, lui abandonnant peu à peu toute la gestion du bar, en toute confiance, comme si elle avait fait partie de sa famille et Marie-Angèle sentait son cœur se serrer en songeant qu'elle avait pu partir sans même venir l'embrasser ou lui laisser un message d'adieu, juste quelques lignes qui lui auraient prouvé que quelque chose avait eu lieu ici, quelque chose qui avait compté, mais cela, Marie-Angèle le comprenait, c'était précisément ce que Hayet ne pouvait pas faire, car il était clair qu'elle avait voulu, non seulement disparaître, mais aussi effacer toutes les années passées ici, n'en conservant que ses belles mains précocement abîmées, qu'elle aurait peut-être voulu couper et laisser derrière elle si cela avait été possible, et la façon maniaque et rageuse dont elle avait fait le ménage n'était que le signe d'une volonté farouche d'effacement et de la croyance qu'à force de volonté, on pouvait effacer de sa propre vie toutes les années qu'on aurait voulu ne pas avoir vécues, même s'il fallait pour cela effacer aussi jusqu'au souvenir de ceux qui nous ont aimés. Et Marie-Angèle, en servant une autre tournée de pastis dans des verres si pleins qu'il n'y restait plus de place pour l'eau, se prenait à espérer que Hayet, où qu'elle se trouve et quel que soit le lieu vers lequel elle se dirige, se sentait, sinon heureuse, du moins libérée et Marie-Angèle rassemblait toutes les ressources de son amour pour la bénir et la laisser s'éloigner, sans entacher son départ de rancœur. C'est ainsi que Hayet s'éloignait, indifférente aux bénédictions comme à la rancœur, sans se douter que sa disparition avait déjà bouleversé un monde auquel elle ne pensait déjà plus car Marie-Angèle savait maintenant avec certitude qu'elle n'ouvrirait plus le bar, elle ne s'infligerait pas une seule fois de plus le spectacle de l'infecte soupe jaunâtre cristallisant dans les verres sales, l'odeur des haleines anisées, et les éclats de voix des joueurs de belote, au cœur d'hivers interminables dont le souvenir lui donnait la nausée, et les disputes incessantes avec leur rituel des menaces jamais mises à exécution, immanquablement suivies de réconciliations larmoyantes et éternelles. Elle savait qu'elle ne le pourrait pas. Il aurait fallu que sa fille, Virginie, accepte de s'occuper du bar à sa place, en attendant qu'elle embauche une nouvelle serveuse mais cette solution était inenvisageable à tous points de vue. Virginie n'avait jamais rien fait dans sa vie qui pût s'apparenter, même de loin, à un travail, elle avait toujours exploré le domaine infini de l'inaction et de la nonchalance et elle semblait bien décidée à aller jusqu'au bout de sa vocation mais, quand bien même elle eût été un bourreau de travail, son humeur maussade et ses airs d'infante la rendaient totalement inapte à accomplir une tâche qui supposait qu'on entretînt des contacts réguliers avec d'autres êtres humains, fussent-ils aussi frustes que les habituels clients du bar. Marie-Angèle finirait bien sûr par trouver une serveuse mais elle se sentait incapable de se comporter à nouveau en patronne, elle refusait de surveiller les horaires d'ouverture et de refaire la caisse chaque soir pour vérifier la validité des comptes, elle ne voulait plus jouer la comédie de l'autorité et du soupçon que Hayet avait rendue totalement inutile depuis si longtemps et, surtout, elle ne voulait pas admettre que Hayet était peut-être, au bout du compte, remplaçable. Elle regarda Virgile Ordioni se diriger en titubant vers les toilettes, elle songea avec fatalisme au triste sort qui attendait l'abattant impeccablement javellisé, sans parler du sol et des murs, elle se vit passer toute l'après-midi du dimanche l'éponge à la main à pester contre ces sauvages, et elle décida de passer une annonce pour donner le bar en gérance.

Ce soir-là, après avoir donné à son fils Libero des nouvelles détaillées de chacun de ses frères et sœurs, puis de la cohorte innombrable de ses neveux et lui avoir demandé, comme tous les soirs depuis son arrivée, s'il s'acclimatait bien à Paris, Gavina Pintus lui annonça, juste avant de raccrocher, que la serveuse du bar avait mystérieusement quitté le village. Libero le répéta à Matthieu Antonetti, qui lui répondit par un grognement distrait, et ils reprirent leur travail en oubliant aussitôt ce qui venait pourtant de marquer le début de leur nouvelle existence. Ils se connaissaient depuis l'enfance, non pas depuis toujours. Matthieu avait huit ans quand sa mère, inquiète de son caractère résolument solitaire et méditatif, décida qu'il lui fallait un ami pour profiter de ses vacances au village. Elle le prit donc par la main après l'avoir aspergé d'eau de Cologne et le traîna chez les Pintus dont le plus jeune fils avait son âge. Leur énorme maison s'agrémentait de diverses excroissances de parpaings qu'on avait négligé de crépir et elle ressemblait à un organisme qui ne cessait de croître erratiquement, comme animé par une force vitale et sauvage, des fils électriques ornés de douilles pendantes couraient le long des façades, la cour était encombrée de tuyaux, de brouettes, de tuiles, de chiens dormant au soleil, de sacs de ciment et d'un nombre considérable d'objets non identifiés qui attendaient là de faire un jour la preuve de leur utilité. Gavina Pintus reprisait une veste, son corps déformé par onze grossesses menées à terme débordant d'une frêle chaise pliante, Libero était assis sur un muret derrière elle et regardait trois de ses frères entièrement tartinés de cambouis s'affairer autour d'une voiture sans âge dont le moteur avait été démonté. Quand il vit s'approcher Matthieu qui résistait à la traction énergique de sa mère en se faisant de plus en plus lourd au bout de son bras, Libero le fixa attentivement sans bouger et sans sourire et Matthieu se fit si lourd que Claudie Antonetti fut contrainte de s'arrêter net et, au bout de quelques secondes, il fondit en larmes, si bien qu'elle n'eut plus d'autre choix que de le ramener à la maison pour le moucher et le sermonner. Il alla finalement se réfugier dans les bras de sa grande sœur, Aurélie, qui s'acquitta une fois de plus de sa tâche de mère par procuration avec une gravité encore tout enfantine. En fin d'après-midi, Libero vint frapper à leur porte et Matthieu accepta de le suivre dans le village et il se laissa guider dans un chaos de chemins secrets, de sources, d'insectes merveilleux et de ruelles qui s'agençaient peu à peu en un espace ordonné jusqu'à former un monde qui cessa bien vite de l'effrayer pour devenir son obsession. Plus les années passaient et plus la fin des vacances donnait lieu à des scènes pénibles, si bien que Claudie regrettait parfois d'avoir poussé son fils sur la voie d'une socialisation dont elle n'avait pas prévu les conséquences. Matthieu ne vivait plus que dans l'attente de l'été et quand il eut compris, dans sa treizième année, que ses parents, en véritables monstres d'égoïsme, n'envisageaient pas une seconde de quitter leur emploi parisien pour lui permettre de s'installer définitivement au village, il les harcela pour qu'ils l'y envoient au moins pendant les vacances d'hiver. Matthieu répondit à leur refus par des crises de nerfs proprement scandaleuses et des périodes de jeûne trop courtes pour altérer sa santé mais suffisamment longues et théâtrales pour exaspérer ses parents. Jacques et Claudie Antonetti se disaient tristement qu'ils avaient engendré un épouvantable petit merdeux mais ce constat désolant ne les aidait en rien à régler leur problème. Jacques et Claudie étaient cousins germains. Après que son épouse fut morte en couches, Marcel Antonetti, le père de Jacques, avait décrété qu'il était incapable de s'occuper d'un nourrisson et avait cherché secours, comme il l'avait fait toute sa vie, auprès de sa sœur Jeanne-Marie qui avait immédiatement recueilli Jacques sans faire la moindre réflexion pour l'élever avec sa fille Claudie. Ils avaient donc grandi ensemble et la découverte de leur relation, bientôt suivie par l'annonce publique de leur intention de se marier, fut bien évidemment accueillie avec une stupeur indignée par l'ensemble de la famille. Mais leur obstination était telle que le mariage eut finalement lieu, en présence d'une maigre assemblée pour laquelle cette cérémonie ne représentait nullement l'émouvant triomphe de l'amour mais bien celui du vice et de la consanguinité. La naissance d'Aurélie, qui était, contre toute attente, un bébé parfaitement sain, apaisa quelque peu les tensions familiales et celle de Matthieu se passa dans une atmosphère apparente de parfaite normalité. Mais il apparut vite que Marcel, incapable de s'en prendre à son fils ou à sa belle-fille, avait reporté son agressivité sur ses petits-enfants, et s'il avait fini par s'attacher malgré lui à Aurélie au point de se laisser parfois aller à des manifestations d'idolâtrie sénile, il poursuivait encore Matthieu de sa malveillance et même, si incongru qu'un tel sentiment puisse paraître, de sa haine, comme si le petit garçon avait lui-même organisé l'union abominable dont il était né. Tous les étés, Claudie surprenait les regards hostiles qu'il lançait à son fils, il avait des mouvements de recul trop ostensibles pour être instinctifs à chaque fois que Matthieu s'approchait pour l'embrasser et il ne perdait jamais une occasion de lui faire des remarques insidieuses sur sa façon de se tenir à table, sa propension à la saleté ou à la bêtise, et Jacques baissait douloureusement les yeux et Claudie se retenait vingt fois par jour d'insulter ce vieil homme pour lequel elle n'avait plus la moindre affection. Quand Matthieu avait commencé à fréquenter Libero, Marcel s'était montré ignoble, il marmonnait entre ses dents,

— Ça ne m'étonne pas qu'il se soit entiché d'un Sarde,

et Claudie n'avait rien dit,

— Il pourrait au moins ne pas nous le ramener à la maison,

et elle n'avait rien dit, pendant des années, elle n'avait rien dit. Mais quelques semaines plus tôt, Matthieu avait, comme tous les ans, envoyé une carte à son grand-père pour son anniversaire,

Bon anniversaire, je t'aime, ton petit-fils, Matthieu,

une petite carte innocente et rituelle à laquelle Marcel avait répondu par deux lignes :

Mon garçon, à bientôt treize ans, tu pourrais m'épargner la lecture de niaiseries qui ne sont pas de mon âge et ne sont plus du tien. Écris si tu as quelque chose à dire et sinon, abstiens-toi.

Claudie avait intercepté la lettre et décroché son téléphone, en tremblant de fureur,

— Tu es un vieux con, tonton, et tu crèveras sans doute comme un vieux con mais, en attendant, ne t'avise plus de t'adresser comme ça à mon fils,

et Marcel avait vaguement pleurniché au téléphone avant que Claudie ne lui raccroche au nez en pestant contre l'injustice cruelle du destin qui avait jugé bon de la priver de ses parents en prenant bien soin de laisser vivre cette insupportable baderne qui se plaignait sans cesse d'être à l'agonie et téléphonait au beau milieu de la nuit au moindre rhume, au plus petit symptôme de faiblesse, se montrant intarissable sur les développements ingénieux de l'ulcère qui aurait dû le tuer depuis soixante-dix ans, alors qu'il était en vérité d'une santé de fer, comme s'il tenait par-dessus tout à pourrir la vie de son fils adulte après l'avoir totalement négligé pendant son enfance et Claudie caressait le projet délicieux de prendre un avion pour aller au village l'étouffer sous un coussin ou, mieux encore, l'étrangler de ses propres mains mais elle devait renoncer à ses fantasmes vengeurs et constater que dans la réalité, il lui était impossible de confier son fils à cet homme pour les vacances et également impossible de lui annoncer qu'il devait rester à Paris parce que son grand-père paternel le détestait. Ce fut un coup de fil de Gavina Pintus qui résolut le problème : elle annonça dans un mélange de corse et de sarde de la Barbaggia qu'elle serait ravie d'accueillir Matthieu chez elle à chaque fois qu'il le souhaiterait. Claudie eut bien envie de refuser, ne serait-ce que pour apprendre à Matthieu que le chantage affectif ne payait jamais, d'autant qu'elle le soupçonnait d'être, *via* Libero, à l'origine de cette offre si opportune, mais elle accepta dès qu'elle eut compris que c'était maintenant elle qui était dans la position d'exercer un chantage sur son fils, ce qu'elle ne se priva pas de faire, brandissant la menace de supprimer les vacances à chaque défaillance scolaire ou tentative de rébellion, et elle se réjouit pendant des années de constater qu'en vérité, comme le lui confirmait chaque jour le spectacle d'un fils courtois, travailleur et docile, rien n'était aussi payant que le chantage.

Il y avait deux mondes, peut-être une infinité d'autres, mais pour lui seulement deux. Deux mondes absolument séparés, hiérarchisés, sans frontières communes et il voulait faire sien celui qui lui était le plus étranger, comme s'il avait découvert que la part essentielle de lui-même était précisément celle qui lui était le plus étrangère et qu'il lui fallait maintenant la découvrir et la rejoindre, parce qu'elle lui avait été arrachée, bien avant sa naissance, et on l'avait condamné à vivre une vie d'étranger, sans même qu'il pût s'en rendre compte, une vie dans laquelle tout ce qui lui était familier était devenu haïssable et qui n'était pas même une vie, mais une parodie mécanique de la vie, qu'il voulait oublier, en laissant par exemple le vent froid de la montagne fouetter son visage tandis qu'il montait avec Libero à l'arrière d'un 4x4 cahotant conduit par Sauveur Pintus sur la route défoncée qui menait à sa bergerie. Matthieu avait seize ans et passait maintenant toutes ses vacances d'hiver au village et il évoluait dans l'inextricable fratrie des Pintus avec une aisance d'ethnologue chevronné. Le frère aîné de Libero leur avait proposé de venir passer la journée avec lui et, quand ils arrivèrent à la bergerie, ils trouvèrent Virgile Ordioni occupé à châtrer les jeunes verrats regroupés dans un enclos. Il les attirait avec de la nourriture tout en poussant différents grognements modulés censés sonner agréablement à l'oreille d'un porc et quand l'un deux, envoûté par le charme de cette musique ou, plus prosaïquement, aveuglé par la voracité, s'approchait imprudemment, Virgile lui sautait dessus, le balançait par terre comme un sac de patates, le retournait en l'attrapant par les pattes arrière avant de s'installer à califourchon sur son ventre, enserrant dans l'étau implacable de ses grosses cuisses la bête fourvoyée qui poussait maintenant des hurlements abominables, pressentant sans doute qu'on ne lui voulait rien de bon, et Virgile, couteau en main, incisait le scrotum d'un geste sûr et plongeait les doigts dans l'ouverture pour en extraire un premier testicule dont il tranchait le cordon avant de faire subir le même sort au second et de les jeter ensemble dans une grande bassine à moitié remplie. Aussitôt l'opération terminée, le cochon libéré, faisant preuve d'un stoïcisme qui impressionna Matthieu, se remettait à manger comme si rien ne s'était passé au milieu de ses congénères indifférents qui passèrent l'un après l'autre entre les mains expertes de Virgile. Matthieu et Libero regardaient le spectacle, accoudés à une barrière. Sauveur sortit de la bergerie et vint les rejoindre.

— Tu n'as jamais vu ça, hein, Matthieu ?

Matthieu secoua la tête et Sauveur eut un petit rire.

— Il est bon, Virgile. Pour ça, il sait faire. Il n'y a rien à dire.

Mais Matthieu ne songeait pas à dire quoi que ce soit d'autant que l'enclos était maintenant le théâtre d'une intéressante péripétie. Virgile, assis sur un cochon dont il venait juste d'ouvrir le scrotum, poussa un juron et se tourna vers Sauveur qui lui demanda ce qui se passait.

— Il y en a qu'une ! Une seule ! L'autre est pas descendue !

Sauveur haussa les épaules.

— Ça arrive !

Mais Virgile ne comptait pas s'avouer vaincu, il coupa l'unique testicule et reprit l'exploration du scrotum vide en criant,

— Je la sens ! je la sens !

et en continuant à jurer parce que le cochon, qui payait fort cher le retard de sa puberté, faisait des efforts désespérés pour échapper à l'étreinte de son tortionnaire, il se tordait dans tous les sens, la poussière volait, et il poussait des cris qui semblaient maintenant presque humains si bien que Virgile finit par renoncer. Le cochon se releva et se réfugia dans un coin de l'enclos, l'air renfrogné et les pattes tremblantes, ses longues oreilles mouchetées de noir rabattues devant les yeux.

— Il va mourir ? demanda Matthieu.

Virgile les rejoignait, la bassine sous le bras, il épongeait la sueur de son front et riait en disant,

— Mais non, il meurt pas, il est un peu secoué, c'est costaud, le cochon, il meurt pas comme ça,

et il riait encore et demandait,

— Alors les garçons, ça va ? on va manger ?

et Matthieu découvrit que la bassine contenait leur repas et il s'efforça de ne rien laisser paraître de sa surprise parce que ce monde était le sien, même s'il ne le connaissait pas encore tout à fait, et chaque surprise, si rebutante fût-elle, devait être niée sur-le-champ et transformée en habitude, bien que la monotonie de l'habitude fût justement incompatible avec la délectation que ressentait Matthieu à se gaver de couilles de porc grillées au feu de bois, tandis qu'un grand vent poussait les nuages vers la montagne, au-dessus d'une petite chapelle consacrée à la Vierge, une chapelle toute blanche au pied de laquelle brûlaient les bougies écarlates que Sauveur et Virgile allumaient parfois pour honorer leur compagne de solitude, et les mains qui avaient bâti cette chapelle avaient été depuis longtemps balayées par le vent, mais elles avaient laissé ici les traces de leur existence, et plus haut, le long d'une pente abrupte, on apercevait les vestiges de murs écroulés, presque invisibles parce qu'ils avaient la même couleur rouge que la roche granitique d'où ils avaient surgi avant que la montagne ne les reprenne en les absorbant lentement dans son sein recouvert de pierres et de chardons, comme pour manifester, non pas sa puissance, mais sa tendresse. Sauveur faisait chauffer une casserole de mauvais café sur le feu, il parlait avec Virgile et son frère dans une langue que Matthieu ne comprenait pas mais dont il savait qu'elle était la sienne et il les écoutait en buvant le café brûlant, rêvant qu'il les comprenait alors que leurs paroles n'avaient pour lui pas d'autre sens que celui des grondements du fleuve dont on entendait couler les flots invisibles tout au fond du précipice encaissé qui déchirait la montagne comme une plaie profonde, un sillon tracé par le doigt de Dieu tout au début du monde. Après le repas, ils suivirent Virgile dans une pièce où séchaient des fromages et il ouvrit une vieille malle, énorme, pleine d'un épouvantable ramassis de vieilleries, des mors, de vieux étriers rouillés, des paires de chaussures militaires de toutes les tailles au cuir si rigide qu'elles semblaient taillées dans du bronze, et il en sortit un fusil de guerre enveloppé dans des chiffons et différents morceaux de ferraille dont Matthieu apprit avec stupeur que c'étaient des pistolets-mitrailleurs Sten, qui avaient été parachutés en si grand nombre pendant la guerre qu'on en trouvait encore dans le maquis où ils attendaient depuis soixante ans d'être ramassés, et Virgile disait en riant que son père avait été un grand résistant, la terreur des Italiens, quand Ribeddu* et ses hommes foulaient le même sol et s'avançaient silencieusement dans la nuit en guettant le bruit du moteur des avions, et Virgile tapait sur l'épaule de Matthieu qui l'écoutait bouche bée en s'imaginant qu'il était lui aussi un héros redoutable.

— Allez, venez, on va tirer.

Virgile vérifia le fusil, prit des balles et ils allèrent s'asseoir sur un gros rocher qui surplombait le ravin et ils tirèrent l'un après l'autre sur le versant opposé de la montagne, l'écho des coups de feu se perdait dans la forêt de Vaddi Mali, et de gros paquets de brume remontaient maintenant depuis la mer et la vallée, Matthieu avait froid, le recul du fusil lui meurtrissait l'épaule et son bonheur était parfait.

* Surnom de Dominique Lucchini, chef des maquis communistes dans l'Alta Rocca.

Le départ de Hayet marqua contre toute attente le début d'une série de calamités qui s'abattirent sur le bar du village comme la malédiction divine sur l'Égypte. Tout s'annonçait pourtant pour le mieux : à peine Marie-Angèle Susini avait-elle rendu publique son offre de gérance qu'un candidat se manifesta. C'était un homme d'une trentaine d'années, originaire d'une petite ville du littoral où il avait longtemps travaillé comme serveur et barman dans des établissements qu'il n'hésitait pas à qualifier de prestigieux. Il débordait littéralement d'enthousiasme, le potentiel commercial du bar était sans aucun doute extraordinaire et se révélerait bientôt pour peu qu'un habile manager sache en tirer parti ce qui, cela dit sans vouloir offenser Marie-Angèle, n'avait jusqu'ici pas été le cas, personne n'est bien entendu tenu d'avoir de l'ambition mais lui, il en avait, et même énormément, il ne comptait pas se satisfaire d'une petite gestion pépère, la clientèle autochtone ne lui suffisait pas, ce n'était pas avec les joueurs de belote et les poivrots locaux qu'on faisait du business digne de ce nom, il fallait viser la jeunesse, les touristes, proposer un concept, acheter une sono, faire de la petite restauration, il comptait d'ailleurs aménager une cuisine, faire venir des DJ du continent, il connaissait le milieu de la nuit comme sa poche, et il faisait les cent pas dans le bar en désignant tout ce qu'il fallait impérativement changer, à commencer par le mobilier qui était à pleurer et, quand Marie-Angèle lui annonça qu'elle demandait, en se basant sur le chiffre d'affaires, douze mille euros annuels pour la gérance et le loyer, il leva les bras au ciel en criant que c'était donné, Marie-Angèle serait vite stupéfaite de la métamorphose à laquelle elle allait assister et dont il serait le maître d'œuvre, douze mille euros, ce n'était rien, un cadeau, il en était gêné, il avait l'impression de la voler, et il lui expliqua qu'il comptait d'abord investir son capital dans des travaux de première nécessité, il lui paierait la première moitié de la gérance dans six mois et, six mois plus tard, le solde et une année d'avance. Marie-Angèle trouva la proposition honnête et refusa d'entendre raison quand Vincent Leandri vint la prévenir que, d'après son enquête, ce type était un branleur notoire dont les seules expériences professionnelles se résumaient à quelques boulots saisonniers dans des baraques à frites de bord de plage. Il semblait d'ailleurs que Vincent se fût montré injustement méfiant. Les travaux annoncés eurent lieu. L'arrière-salle fut transformée en cuisine, le mobilier changé, on livra du matériel hi-fi, une sono, des platines, un magnifique billard français et, la veille de l'ouverture, une enseigne lumineuse fut accrochée au-dessus de la porte. On y voyait le visage clignotant de Che Guevara d'où partait une bulle de bande dessinée qui annonçait en lettres de néon bleu,

El Commandante Bar, sound, food, lounge.

Le lendemain, pour la soirée d'inauguration, les habitués du village furent accueillis par une techno agressive qui les empêcha de s'entendre hurler pendant leur partie de belote et ils découvrirent avec stupeur que le gérant avait décidé de ne pas vendre de pastis, pour une question de standing, et il leur proposa donc des cocktails hors de prix qu'ils consommèrent en faisant la grimace et il leur fut impossible de se faire resservir parce que le gérant était occupé à festoyer avec une bande d'amis qui descendaient des mètres de vodka et finirent par danser torse nu sur le comptoir. Les amis en question devinrent très vite la seule clientèle régulière du bar dont les horaires d'ouverture furent réduits au strict minimum. Il restait fermé le matin. Vers dix-huit heures, le rythme lancinant de la techno annonçait le début de l'apéritif. Des voitures étrangères se garaient un peu partout, on entendait des rires et des cris jusque vers onze heures du soir, heure à laquelle toute la bande, gérant compris, descendait en ville. La musique reprenait vers quatre heures du matin, au retour de boîte de nuit, et les villageois condamnés à l'insomnie pouvaient voir à travers leurs persiennes le gérant, entouré de filles à l'allure épouvantable, s'engouffrer dans le bar dont la porte était alors fermée à clé et le bruit courut que le billard français n'avait été acheté que pour offrir au nouveau gérant la surface plane dont il avait besoin pour satisfaire sa lubricité. Au bout de trois mois, Marie-Angèle alla le voir et lui demanda comment il comptait payer la gérance. Il lui dit de ne pas s'inquiéter mais elle jugea bon de réitérer sa visite accompagné de Vincent Leandri qui exigea de voir les comptes et prévint que si sa légitime curiosité n'était pas satisfaite, il serait contraint de se laisser aller aux pires extrémités.

Le gérant tenta de louvoyer avant de finir par admettre qu'il n'y avait aucun livre de compte, qu'il prélevait tous les soirs dans la caisse l'intégralité de la recette pour la dépenser en ville mais qu'il ne doutait pas de pouvoir se refaire au printemps, quand les premiers touristes débarqueraient. Vincent soupira.

— Tu paies ce que tu dois la semaine prochaine ou je te casse toutes les dents.

Le gérant eut une réaction fataliste qui n'était pas dépourvue d'une certaine noblesse.

— Je n'ai pas un rond. Rien. Je crois que tu vas être obligé de me casser les dents.

Marie-Angèle retint Vincent et tenta de trouver un arrangement ce qui s'avéra impossible car, non seulement il n'y avait pas un sou pour la gérance mais les fournisseurs n'avaient pas été payés et les travaux avaient été faits à crédit. Vincent serrait les poings tandis que Marie-Angèle l'entraînait dehors en répétant ce n'est pas la peine, ce n'est pas la peine mais il fit demi-tour, s'empara d'une carafe et la cassa sur la tête du gérant qui s'écroula en gémissant. Vincent haletait de colère.

— C'est par principe, bordel de merde, par pur principe!

Marie-Angèle dut donc renoncer à son argent et payer des dettes dont elle n'était même pas responsable. Elle décida de se montrer plus circonspecte dans ses choix, ce qui ne lui fut pas d'une grande utilité. La gérance fut donc confiée à un adorable jeune couple dont les querelles conjugales transformèrent le bar en un no man's land d'où s'élevait de jour comme de nuit un fracas de verre brisé, de cris et d'insultes d'une grossièreté inconcevable suivies de réconciliations haletantes et tout aussi généreuses en décibels, d'où il ressortait que les ressources du couple en matière de grossièreté étaient inépuisables, dans la fureur comme dans l'extase, si bien que les mères de famille scandalisées interdirent à leur innocente progéniture de s'approcher de ce lieu de débauche jusqu'à ce que le jeune couple fût remplacé par une dame d'âge et d'allure fort respectables qui passait ses journées à engueuler la clientèle et à faire subir au prix des consommations de capricieuses variations comme si elle consacrait toute son énergie à couler sa propre affaire, ce qui fut fait en un temps record, et Marie-Angèle se désespérait en voyant approcher l'été, convaincue qu'elle allait devoir reprendre les choses en main et réparer elle-même les dégâts avant qu'ils ne fussent irréversibles. Mais en juin, alors qu'elle était déjà presque résignée à se remettre au travail, on lui fit une offre qui la combla de joie. Ils venaient du continent. Ils y avaient tenu pendant quinze ans un bar familial dans la banlieue de Strasbourg et recherchaient maintenant des cieux plus cléments. Bernard Gratas et son épouse avaient trois enfants, âgés de douze à dix-huit ans, passablement laids mais bien élevés, et ils étaient flanqués d'une grand-mère grabataire et sénile dont le gâtisme inspira la plus vive confiance à Marie-Angèle. Elle avait besoin de stabilité et les Gratas étaient l'incarnation de la stabilité. Quand elle leur expliqua qu'ayant eu à subir des désagréments douloureux sur lesquels elle ne souhaitait pas s'étendre, elle préférait être payée d'avance, Bernard Gratas lui signa sur-le-champ un chèque qui s'avéra miraculeusement provisionné et Marie-Angèle leur confia les clés du bar et de l'appartement en se retenant de les serrer dans ses bras. La grand-mère fut installée près de la cheminée et les Gratas rouvrirent le bar opportunément rebaptisé bar des Chasseurs, ce qui, à défaut d'originalité, relevait d'un traditionalisme du meilleur aloi et les habitués échaudés reprirent leurs anciennes habitudes, le café du matin, les parties de cartes à l'heure de l'apéritif et les discussions animées dans la douceur des nuits d'été. Marie-Angèle était ravie mais se reprochait de ne pas avoir compris plus tôt quelle avait été son erreur. Elle n'aurait jamais dû, à aucun prix, confier son bar à des compatriotes, si elle avait réfléchi une seconde, elle aurait immédiatement cherché des gérants sur le continent, le succès des Gratas le lui confirmait de manière éclatante, des gens simples et travailleurs dont le solide sens des réalités compensait largement l'absence manifeste de fantaisie, voilà ce qu'il lui fallait depuis le début, et ils finiraient par s'adapter totalement, elle n'en doutait pas, bien que pour l'instant les habitants du village, avec leur conception un peu rugueuse de l'hospitalité, ne les appellent jamais autrement que "les Gaulois" et ne leur adressent la parole que pour passer des commandes, tout irait pour le mieux et, d'ailleurs, plus l'été avançait, plus l'ambiance devenait, sinon amicale, du moins détendue et Bernard Gratas était maintenant convié aux parties de belote, Vincent Leandri s'était même décidé à lui serrer la main, bientôt imité par d'autres clients du bar, il ne fallait qu'un peu de temps pour que s'installe l'harmonie durable dont rêvait Marie-Angèle. Elle ne prit pas garde à des signes qui auraient pourtant dû l'inquiéter. Gratas ne se contentait plus de servir les tournées, il les buvait de plus en plus souvent, pour faire plaisir aux uns et aux autres, il se mit à laisser ouverts deux puis bientôt trois boutons des chemises qu'il choisissait maintenant à coupe cintrée, une gourmette en or fit mystérieusement son apparition autour de son poignet et, pour couronner le tout, il fit vers la fin de l'été la double acquisition d'une veste en cuir vieilli et d'une tondeuse à barbe ce qui, pour un regard averti, ne pouvait bien entendu signifier que le pire.

Quand Matthieu et Libero arrivèrent au village, leur licence en poche, au début du mois de juillet, Bernard Gratas n'avait pas encore entamé la métamorphose physique qui serait bientôt le symptôme d'un bouleversement intérieur plus considérable et irréversible. Il se tenait derrière le comptoir, sérieux et droit, un chiffon à la main, près de son épouse qui veillait sur la caisse, et semblait immunisé contre toute forme envisageable de bouleversement, ce que Libero résuma d'une seule formule concise :

— Il a vraiment l'air d'un gros con.

Mais ni lui ni Matthieu ne comptait nouer la moindre relation d'amitié avec Gratas et ils étaient trop heureux d'être en vacances pour s'intéresser davantage à la question. Ils se mirent à sortir tous les soirs. Ils rencontraient des filles. Ils les emmenaient prendre des bains de minuit et les remontaient parfois au village. Ils les raccompagnaient avant l'aube et en profitaient pour prendre un café sur le port. Les paquebots déchargeaient leur monstrueuse cargaison de chair. Il y avait du monde partout, des shorts, des tongs, on entendait des cris d'émerveillement et des remarques stupides. Il y avait de la vie partout, trop de vie. Et ils regardaient cette vie grouillante avec un indicible sentiment de supériorité et de soulagement, comme si elle n'était pas de même nature que la leur, parce qu'ils étaient chez eux, même s'ils devaient eux aussi repartir au mois de septembre. Matthieu n'avait jamais connu que ces allers-retours incessants mais c'était la première fois que Libero revenait dans l'île après une si longue absence. Ses parents avaient immigré depuis la Barbaggia, comme tant d'autres, dans les années 1960 mais lui-même n'avait jamais mis les pieds en Sardaigne. Il ne la connaissait que par les souvenirs de sa mère, une terre misérable, de vieilles femmes au voile noué soigneusement sous la lèvre inférieure, des hommes aux guêtres de cuir dont des générations de criminologues italiens avaient mesuré les membres, la cage thoracique et le crâne, notant soigneusement les imperfections de l'ossature pour en déchiffrer le langage secret et y repérer l'inscription indiscutable d'une propension naturelle au crime et à la sauvagerie. Une terre disparue. Une terre qui ne le concernait plus. Libero était le plus jeune de onze frères et sœurs dont Sauveur, l'aîné, avait près de vingt-cinq ans de plus que lui. Il n'avait pas connu les insultes et la haine qui attendaient ici les immigrés sardes, le travail sous-payé, le mépris, le chauffeur du car scolaire, à moitié ivre, qui donnait des coups aux enfants quand ils passaient près de lui,

— Il n'y a plus que des Sardes et des Arabes dans ce pays !

et qui leur jetait des regards meurtriers dans le rétroviseur. Tout passe, les enfants terrorisés qui se terraient à l'arrière du car en enfonçant la tête dans leurs épaules étaient devenus des hommes et le chauffeur était mort sans que personne ne songe à faire à son tombeau l'hommage d'un crachat. Libero se sentait chez lui. Il avait fait une scolarité non seulement complète mais particulièrement brillante et, après son bac, toutes ses demandes d'admission en classe préparatoire avaient été acceptées et sa mère avait failli s'étouffer de joie, bien qu'elle n'ait pas la moindre idée de ce qu'était une classe préparatoire, et étouffer Libero du même coup en le serrant contre son énorme poitrine bondissante d'émotion et de fierté. Libero avait choisi d'aller à Bastia et, pendant deux ans, tous les lundis matin, l'un ou l'autre de ses frères et sœurs s'était levé en pleine nuit pour le conduire à Porto-Vecchio d'où il prenait le car. À Paris, Matthieu avait demandé à ses parents de lui permettre de s'inscrire lui aussi à Bastia. Ils auraient accepté mais ses résultats scolaires ne lui permettaient pas de l'envisager, comme il dut le reconnaître lui-même. Il s'inscrivit donc à Paris IV en licence de philosophie, seule discipline où il ait rencontré un certain succès, et se résigna à prendre chaque matin le métro vers les bâtiments hideux de la porte de Clignancourt. Sa certitude d'être provisoirement reclus dans un monde étranger qui n'existait qu'entre parenthèses ne l'aida pas à se faire des amis. Il lui semblait qu'il côtoyait des fantômes avec lesquels il ne partageait aucune expérience commune et qu'il jugeait de surcroît d'une arrogance insupportable, comme si le fait d'étudier la philosophie leur conférait le privilège de comprendre l'essence d'un monde dans lequel le commun des mortels se contentait bêtement de vivre. Il se lia quand même avec une de ses condisciples, Judith Haller, avec laquelle il travaillait de temps en temps et qu'il accompagnait parfois au cinéma ou, le soir, boire un verre. Elle était très intelligente et gaie et sa médiocre beauté n'aurait pas suffi à rebuter Matthieu mais il était incapable de nouer une relation amoureuse avec qui que ce soit, du moins ici, à Paris, parce qu'il n'était pas destiné à y demeurer et ne voulait mentir à personne. Et c'est ainsi qu'au nom d'un avenir aussi inconsistant que la brume, il se privait de présent, comme il arrive si souvent, il est vrai, avec les hommes. Un soir, ils burent et discutèrent longtemps dans un bar de la Bastille et Matthieu laissa passer l'heure du dernier métro. Judith lui proposa de l'héberger et il la suivit à pied chez elle, après avoir envoyé un SMS à sa mère. Judith habitait une affreuse chambre de bonne au sixième étage d'un immeuble du 12e. Elle laissa la lumière éteinte, mit de la musique tout doucement et s'allongea sur le lit, en T-shirt et culotte, le visage vers la fenêtre. Quand Matthieu s'allongea près d'elle, tout habillé, elle se tourna vers lui sans dire un mot, il voyait ses yeux briller dans l'obscurité, il lui sembla qu'elle souriait d'un sourire frémissant et il entendait sa respiration lourde et profonde et il en était ému, il savait qu'il lui suffisait de tendre la main et de la frôler pour que quelque chose se passe, mais il ne pouvait pas, c'était comme s'il l'avait déjà abandonnée et trahie, la culpabilité le paralysait et il ne bougeait pas, se contentant de lui faire face et de la regarder dans les yeux jusqu'à ce que son sourire ait disparu et qu'ils se soient endormis tous les deux. Il tenait à elle comme à sa possibilité la plus lointaine. Parfois, quand ils buvaient un café ensemble, il imaginait qu'il levait la main pour lui caresser la joue, il pouvait presque voir cette main possible s'élever sans hâte dans l'air transparent et frôler une mèche des cheveux de Judith avant de se poser sur son visage dont il sentait la chaleur au creux de sa paume tandis qu'elle se laissait aller doucement, soudain si lourde et silencieuse, et il savait, si fort que son cœur réel se mit alors à battre, qu'il ne sauterait pas au-dessus de l'abîme qui le séparait de ce monde possible parce qu'en le rejoignant, il l'aurait aussi détruit. Ce monde-là ne perdurait qu'ainsi, à mi-chemin de l'existence et du néant, et Matthieu l'y maintenait soigneusement, dans un réseau complexe d'actes inaccomplis, de désir, de répulsion et de chair impalpable, sans savoir que, des années plus tard, la chute du monde qu'il allait bientôt choisir de faire exister le ramènerait vers Judith comme vers un foyer perdu, et qu'il se reprocherait alors de s'être si cruellement trompé de destin. Mais pour l'instant, Judith n'était pas son destin, et il ne voulait pas qu'elle le devienne, elle demeurait simplement une occasion de rêverie, inoffensive et douce, grâce à laquelle l'imperceptible course du temps qui l'étouffait et l'entraînait si lentement se faisait parfois plus rapide et légère, et quand deux années eurent passé et que la question se posa de savoir où Libero s'inscrirait en licence, Matthieu en fut reconnaissant à Judith, comme si elle lui avait permis d'échapper à l'étreinte visqueuse de l'éternité qui sans elle l'aurait retenu prisonnier. Matthieu espérait que Libero viendrait poursuivre ses études à Paris, il l'espérait tant qu'il n'envisageait pas une seconde qu'il pût en aller autrement car il était inévitable que la réalité dût prendre, au moins de temps en temps, la forme de son espérance. Aussi fut-il terriblement affecté d'apprendre que Libero irait préparer une licence de lettres à Corte, non par choix, mais parce que les Pintus n'avaient pas les moyens de l'envoyer sur le continent. Il ne faisait plus de doute pour lui qu'une divinité maligne et perverse réglait le cours du monde de manière à transformer sa vie en une longue suite de malheurs et de déceptions immérités et sans doute l'aurait-il cru longtemps si une initiative de sa mère ne l'avait pas conduit à remettre en question cette inquiétante hypothèse. Claudie était venue s'asseoir près de lui alors qu'il broyait du noir au milieu du salon afin que nul n'échappe au spectacle de sa misère et elle l'avait regardé avec une compassion amusée dont il avait été sur le point de se sentir blessé. Mais il n'en eut pas le temps. Elle lui avait d'abord souri.

— Nous allons proposer à Libero de venir s'installer ici. Dans la chambre d'Aurélie. Qu'est-ce que tu en penses ?

Et cet été-là, comme lorsqu'il avait huit ans, il la suivit à nouveau chez les Pintus. Gavina Pintus était encore assise sur sa chaise pliante au milieu d'un nouveau monceau de gravats. Elle les invita à prendre un café à l'intérieur et ils se retrouvèrent assis autour de l'immense table que Matthieu connaissait maintenant si bien. Libero les avait rejoints. Claudie parlait et Matthieu écoutait sa mère parler dans la langue qu'il ne comprenait pas mais dont il savait qu'elle était la sienne, elle prit la main de Gavina Pintus qui secouait la tête en signe de dénégation et Claudie se penchait vers elle et continuait à parler sans que Matthieu puisse rien faire d'autre que d'imaginer ce qu'elle disait,

— Vous avez accueilli mon fils comme s'il était le vôtre, c'est maintenant notre tour, personne ne vous fait la charité, c'est notre tour,

et elle parla avec une force de conviction inlassable, jusqu'à ce que Matthieu comprenne, en voyant le visage de Libero s'éclairer d'un sourire, qu'elle avait obtenu ce qu'elle était venue chercher.

Le chemin de croix de Bernard Gratas prit d'abord des allures de fête. Matthieu et Libero préparaient leurs mémoires de master à Paris quand il commença à organiser toutes les semaines des parties de poker dans l'arrière-salle du bar. Il est fort douteux que Bernard Gratas ait pris seul une telle initiative. Sans doute lui avait-elle été suggérée par quelqu'un qui devait rester anonyme mais avait sans doute compris qu'il tenait là un pigeon dont le désir le plus cher et le plus urgent était de se faire plumer. Ces parties rencontrèrent un vif succès dès que le bruit se répandit dans la région que Gratas était un joueur aussi déplorable qu'imprudent, persuadé, de surcroît, que le poker était une affaire de chance et que la chance finissait toujours par tourner. Il s'était mis à fumer des cigarillos qui ne lui furent d'aucun secours, pas plus que les lunettes noires qu'il portait maintenant de jour comme de nuit. Il perdait de l'argent en grand seigneur, poussant l'élégance jusqu'à offrir une tournée à ses bourreaux. Un jour, sans aucun signe avant-coureur, sa femme, ses enfants et la vieille disparurent. Quand Marie-Angèle l'apprit, elle alla le voir pour le consoler et le trouva au bar, dans un état d'exaltation extraordinaire. Il confirma que sa femme était partie en emportant tous les meubles. Il dormait sur un matelas qu'elle avait consenti, non sans mal, à lui abandonner. Marie-Angèle allait prononcer quelques paroles de circonstance quand il lui déclara que c'était là la meilleure chose qui lui soit jamais arrivée, il était enfin débarrassé d'une mégère et de trois gamins aussi idiots qu'ingrats, sans parler de la vieille qui, avant de sombrer dans le gâtisme et l'incontinence, avait dépensé des trésors de malignité pour lui pourrir la vie, car elle était d'une méchanceté inimaginable, si méchante qu'il la soupçonnait de se réjouir secrètement d'être devenue grabataire et d'avoir ainsi l'assurance d'emmerder le monde jusqu'à la fin de ses jours sans que personne puisse lui en faire le reproche, et il ne faisait pas de doute qu'elle mourrait centenaire, la vieille carne était coriace, cela faisait des années qu'il faisait des rêves d'accident domestique ou d'euthanasie, sans rien dire, en supportant stoïquement une vie qu'il ne souhaitait pas à son pire ennemi, mais c'était fini et il était temps de vivre, il n'avait pas l'intention de s'en priver, il allait enfin pouvoir exprimer sa personnalité profonde, celle qu'il avait toujours maintenue enfouie tout au fond de lui, par fatigue, par dégoût, par lâcheté, c'en était fini de la soumission, il renaissait et il disait à Marie-Angèle que c'était grâce à elle, il se sentait maintenant chez lui, entouré d'amis chers, sa femme pouvait bien crever, ça ne le concernait plus, il avait gagné, durement gagné, le droit d'être égoïste et jamais, non, jamais il ne s'était senti aussi heureux, car il était enfin heureux, il ne cessait de le répéter, avec une sincérité évidente et presque pathologique, en posant sur Marie-Angèle un regard si éperdu de gratitude qu'elle craignait qu'il se jette sur elle pour la serrer dans ses bras, ce qu'il se retenait manifestement de faire, se contentant de dire merci, sans pouvoir lui avouer qu'il lui était avant tout reconnaissant d'avoir engendré Virginie avec laquelle il entretenait depuis des semaines la liaison qui avait enfin fait de lui un homme heureux. Et jamais bonheur ne fut plus ostentatoire. Bernard Gratas riait sans cesse, très fort, pour n'importe quoi, il débordait d'énergie, multipliant les allers-retours entre le comptoir et la salle sans jamais donner le moindre signe de fatigue ou d'ivresse, bien qu'il se fût maintenant mis à boire comme un trou, il accablait les clients de marques d'affection totalement déplacées et perdait de l'argent avec une délectation visible, le spectacle de son euphorie avait quelque chose de profondément gênant, comme si elle ne pouvait être que le symptôme d'une abjecte maladie de l'âme dont il fallait craindre qu'elle ne fût contagieuse, et plus Bernard Gratas se montrait prévenant et amical, plus on s'écartait de lui avec dégoût, sans qu'il semblât en prendre conscience, bien décidé qu'il était maintenant à vivre dans un monde placé sous la seule autorité de l'illusion. Mais peut-être, pour notre malheur, le règne de l'illusion ne peut-il jamais être parfait et même un homme comme Bernard Gratas devait sentir confusément que rien de tout cela n'était réel, vacillant sous le poids d'une certitude qu'il ne pouvait ni détruire ni formuler mais seulement fuir en mettant son bonheur en scène avec une opiniâtreté grotesque et désespérée et il ne comprit pourquoi il se réveillait parfois la nuit le cœur battant d'angoisse qu'en ce jour de juin où Virginie, après qu'il lui eut demandé de venir vivre avec lui, lui répondit dans un haussement d'épaules plein de dédain qu'il avait perdu la tête et qu'elle ne voulait plus le voir, après quoi elle alla s'asseoir au soleil en terrasse et lui commanda une boisson fraîche qu'il lui servit sans rien dire. Ce qu'il s'était acharné à fuir venait de le rattraper et de le briser. Virginie lui jeta un coup d'œil agacé.

— Ne fais pas cette tête. Tu es ridicule.

Il continua à faire son travail normalement pendant quelques jours, comme porté par une absurde force d'inertie, et un soir, à l'heure de l'apéritif, alors que le bar était plein de clients, il fondit en larmes et fit l'étalage de sa misère comme il avait fait celui de son bonheur, avec la même candeur impudique, évoquant à haute voix, entre deux sanglots, la perfection du corps nu de Virginie, la fixité impénétrable de son regard de reine boudeuse tandis qu'il s'acharnait à aller et venir en elle de toutes ses forces sans jamais réussir à lui arracher un seul soupir, comme si elle n'était que le témoin d'une scène qu'elle suivait avec une extrême attention mais qui ne la concernait que vaguement et il se rappelait en pleurant que plus il l'aimait avec ferveur, plus son regard devenait fixe et dur entre les longs cils que n'agitait aucun frémissement et il se sentait à la fois humilié et fasciné par ce regard qui le transformait en animal de laboratoire sans que son excitation faiblisse, bien au contraire, disait-il en reniflant bruyamment, il était de plus en plus excité et, dans le bar, les premiers murmures de désapprobation commencèrent à s'élever, quelqu'un lui cria de se reprendre, et puis de fermer sa gueule, mais il ne pouvait pas se taire, il était devenu inaccessible à la honte, son visage était luisant de larmes et de morve et il donnait des détails précis, répugnants, il parlait de la façon dont Virginie, sans le quitter des yeux, appuyait la paume de sa main sur son dos et faisait lentement descendre son majeur tendu le long de sa colonne vertébrale en le regardant maintenant avec une sorte de mépris douloureux qu'il reconnaissait à chaque fois avec terreur, sachant qu'il lui serait bientôt impossible de s'empêcher de jouir et, tandis que l'assistance atterrée suivait le périple de ce majeur indécent dont elle ne devinait que trop l'inexorable destination et se résignait déjà à subir la description minutieuse d'un orgasme de Bernard Gratas, Vincent Leandri s'approcha de lui, lui mit une paire de gifles et l'entraîna dehors en le tenant par le bras. Bernard Gratas était maintenant à genoux sur l'asphalte et ne pleurait plus. Il regarda Vincent.

— J'ai tout perdu. J'ai foutu ma vie en l'air.

Vincent ne répondit rien. Il tentait de mobiliser toutes ses facultés de compassion mais il avait encore envie de le frapper. Il lui tendit un mouchoir.

— Toi aussi, tu couchais avec elle. Je le sais. Comment elle a pu faire ça ?

Vincent s'accroupit près de lui.

— Si tu croyais être en couple avec Virginie, tu es le dernier des abrutis. Arrête d'emmerder le monde avec ton histoire. Tiens-toi comme il faut.

Bernard Gratas secoua la tête.

— J'ai foutu ma vie en l'air.

Libero avait fini par trouver ses propres raisons de détester Paris pour lesquelles il n'était nullement redevable à Matthieu. Et c'est ainsi que, chaque soir et chaque matin, dans un wagon bondé de la ligne 4, ils communiaient côte à côte dans une amertume sans remède qui n'avait pourtant pas pour eux le même sens. Libero avait d'abord cru qu'on venait de l'introduire dans le cœur battant du savoir, comme un initié qui a triomphé d'épreuves incompréhensibles au commun des mortels, et il ne pouvait pas s'avancer dans le grand hall de la Sorbonne sans se sentir empli de la fierté craintive qui signale la présence des dieux. Il emmenait avec lui sa mère illettrée, ses frères cultivateurs et bergers, tous ses ancêtres prisonniers de la nuit païenne de la Barbaggia qui tressaillaient de joie au fond de leurs tombeaux. Il croyait à l'éternité des choses éternelles, à leur noblesse inaltérable, inscrite au fronton d'un ciel haut et pur. Et il cessa d'y croire. Son professeur d'éthique était un jeune normalien extraordinairement prolixe et sympathique qui traitait les textes avec une désinvolture brillante jusqu'à la nausée, assénant à ses étudiants des considérations définitives sur le mal absolu que n'aurait pas désavouées un curé de campagne, même s'il les agrémentait d'un nombre considérable de références et citations qui ne parvenaient pas à combler leur vide conceptuel ni à dissimuler leur absolue trivialité. Et toute cette débauche de moralisme était de surcroît au service d'une ambition parfaitement cynique, il était absolument manifeste que l'Université n'était pour lui qu'une étape nécessaire mais insignifiante sur un chemin qui devait le mener vers la consécration des plateaux de télévision où il avilirait publiquement, en compagnie de ses semblables, le nom de la philosophie, sous l'œil attendri de journalistes incultes et ravis, car le journalisme et le commerce tenaient maintenant lieu de pensée, Libero ne pouvait plus en douter, et il était comme un homme qui vient juste de faire fortune, après des efforts inouïs, dans une monnaie qui n'a plus cours. Bien sûr, l'attitude du normalien n'était pas représentative de celle des autres enseignants, lesquels s'acquittaient de leur tâche avec une austère probité qui leur valait le respect de Libero. Il vouait une admiration sans bornes au doctorant qui, tous les jeudis de dix-huit à vingt heures, vêtu d'un pantalon en velours côtelé beige et d'une veste vert bouteille à boutons dorés qui semblait sortie d'un magasin de la Stasi et attestait de son indifférence aux biens matériels, traduisait et commentait imperturbablement le livre gamma de la *Métaphysique* devant un maigre public d'hellénistes obstinés et attentifs. Mais l'ambiance de dévotion qui régnait dans la salle poussiéreuse de l'escalier C où on les avait relégués ne pouvait dissimuler l'ampleur de leur déroute, ils étaient tous des vaincus, des êtres inadaptés et bientôt incompréhensibles, les survivants d'une apocalypse sournoise qui avait décimé leurs semblables et mis à bas les temples des divinités qu'ils adoraient, dont la lumière s'était jadis répandue sur le monde. Pendant longtemps, Libero aima ses camarades d'infortune. Ils étaient des hommes honorables. Leur défaite commune était leur titre de gloire. Il devait être possible de faire comme si rien ne s'était passé et de continuer à mener une vie résolument intempestive, tout entière consacrée à la vénération de reliques profanées. Libero croyait encore que son honorabilité était inscrite au fronton d'un ciel haut et pur dont il importait peu que personne n'en connût l'existence. Il fallait se détourner des questions morales et politiques, gangrénées par le poison de l'actualité, et se réfugier dans les déserts arides de la métaphysique, en compagnie d'auteurs dont il était exclu qu'ils s'attirent un jour la souillure de l'intérêt journalistique. Il décida de faire son mémoire de master sur Augustin. Matthieu, dont l'amitié inaltérable prenait souvent la forme d'une approbation servile, choisit Leibniz et se perdit sans conviction dans les labyrinthes vertigineux de l'entendement divin, à l'ombre de l'inconcevable pyramide des mondes possibles où sa main multipliée à l'infini se posait enfin sur la joue de Judith. Libero lisait les quatre sermons sur la chute de Rome en ayant le sentiment d'accomplir un acte de haute résistance, et il lisait *La cité de Dieu*, mais à mesure que les jours raccourcissaient, ses derniers espoirs se diluèrent dans la brume pluvieuse qui pesait sur les trottoirs humides. Tout était triste et sale, rien n'était écrit dans le ciel que des promesses d'orages et de crachin, et les résistants étaient aussi haïssables que les vainqueurs, ils n'étaient pas des salauds mais des pitres et des ratés, lui le premier, qu'on avait formés à produire des dissertations et des commentaires aussi inutiles qu'irréprochables, car le monde avait peut-être encore besoin d'Augustin et de Leibniz, mais il n'avait que faire de leurs misérables exégètes, et Libero était maintenant plein de mépris pour lui-même, pour tous ses professeurs, les scribes et les philistins, sans distinction, et pour ses condisciples, à commencer par Judith Haller qu'il reprochait à Matthieu de persister à fréquenter alors qu'elle oscillait constamment entre la bêtise et la cuistrerie, rien n'échappait aux débordements tumultueux de son mépris, pas même Augustin qu'il ne pouvait plus supporter maintenant qu'il était sûr de l'avoir compris mieux qu'il ne l'avait jamais fait. Il ne voyait plus en lui qu'un barbare inculte, qui se réjouissait de la fin de l'Empire parce qu'elle marquait l'avènement du monde des médiocres et des esclaves triomphants dont il faisait partie, ses sermons suintaient d'une délectation revancharde et perverse, le monde ancien des dieux et des poètes disparaissait sous ses yeux, submergé par le christianisme avec sa cohorte répugnante d'ascètes et de martyrs, et Augustin dissimulait sa jubilation sous des accents hypocrites de sagesse et de compassion, comme il est de mise avec les curés. Libero acheva son mémoire tant bien que mal, dans un tel état d'épuisement moral que la poursuite de ses études était devenue impossible. Quand il apprit que Bernard Gratas avait achevé avec brio son processus de clochardisation, il sut qu'une opportunité unique s'offrait à lui et il dit à Matthieu qu'ils devaient absolument reprendre la gérance du bar. Matthieu fut bien évidemment enthousiaste. Quand ils arrivèrent au village, au début de l'été, Bernard Gratas venait d'annoncer à Marie-Angèle que, en raison de pertes imméritées mais conséquentes au poker, il lui serait impossible de payer la gérance et les nouvelles gifles qu'il reçut de Vincent Leandri n'y purent rien changer. Marie-Angèle accueillit la nouvelle avec fatalité.

Ayant abandonné tout espoir d'améliorer la situation, elle alla jusqu'à envisager, plutôt que de reprendre le bar elle-même, de laisser la gérance à Gratas jusqu'au mois de septembre pour qu'il puisse lui payer au moins une partie de ce qu'il lui devait. Libero et Matthieu vinrent la voir pour lui proposer leurs services. Elle reconnut de bonne grâce qu'ils pourraient difficilement faire pire que leurs prédécesseurs. Mais où trouveraient-ils l'argent ? Elle avait confiance en eux, elle les connaissait depuis leur enfance et savait qu'ils n'avaient pas l'intention de l'escroquer mais il se trouvait qu'elle avait besoin de se nourrir et qu'il lui fallait absolument être payée d'avance. Libero parvint à réunir deux mille euros en allant plaider sa cause auprès de ses frères et sœurs. Matthieu fit part de son projet un soir de juillet, à la table familiale. Claudie et Jacques posèrent leurs couverts. Son grand-père continuait à manger méticuleusement sa soupe.

— Tu crois que nous allons te donner de l'argent pour que tu puisses arrêter tes études et devenir patron de bar ? Tu crois ça sérieusement ?

Il tenta de plaider sa cause en exposant des arguments qu'il jugeait irréfutables mais sa mère lui coupa brutalement la parole.

— Tais-toi.

La colère la rendait livide.

— Quitte la table tout de suite. Je n'ai plus envie de te voir.

Il se sentait humilié mais il lui obéit sans rien dire. Il téléphona à sa sœur pour quémander son soutien mais il ne parvint pas à se faire entendre. Aurélie éclata de rire.

— C'est vraiment n'importe quoi ! Tu pensais que maman allait sauter de joie ?

Matthieu tenta à nouveau de se défendre mais elle ne l'écouta pas.

— Grandis un peu. Tu commences à être fatigant.

Il rejoignit Libero pour lui annoncer la mauvaise nouvelle et ils se saoulèrent tristement. Quand Matthieu se réveilla, le lendemain vers midi, avec une migraine qu'il devait autant au désespoir qu'à l'alcool, son grand-père était assis près de son lit. Matthieu se redressa péniblement. Marcel le regardait avec une bienveillance inhabituelle.

— Tu veux t'installer ici et t'occuper du bar, mon garçon ?

Matthieu acquiesça d'un vague signe de tête.

— Voilà ce que je vais faire. Je vais payer la gérance cette année et je la paierai encore l'année prochaine. Après, tu n'auras plus rien, rien du tout, plus un centime. En deux ans, tu auras le temps de prouver de quoi tu es capable, mon garçon.

Matthieu lui sauta au cou. La semaine qui suivit fut apocalyptique. Claudie fit une scène épouvantable à Marcel. Elle l'accusa de malveillance et de sabotage, avec préméditation et circonstances aggravantes, il n'aidait son petit-fils que parce qu'il le haïssait et voulait le voir gâcher sa vie, juste pour le plaisir de prouver qu'il ne s'était pas trompé sur son compte, et l'autre abruti en était ravi, il ne comprenait rien, il se jetait dans l'abîme avec enthousiasme, comme le petit con qu'il était, et Marcel avait beau protester de sa bonne foi, rien n'y faisait, elle le vouait aux gémonies, hurlait qu'il paierait pour son infamie d'une manière ou d'une autre, comme Marie-Angèle chez qui elle débarqua à l'improviste pour faire un scandale, lui demandant si c'était pour se consoler d'avoir engendré une putain qu'elle se mettait à pervertir les enfants des autres, mais rien n'y fit, Claudie finit par se calmer et, au milieu du mois de juillet, Matthieu et Libero prirent possession du bar après avoir magnanimement engagé Gratas pour faire la plonge. Libero passa derrière le comptoir. Il regardait l'alignement coloré des bouteilles, les éviers, la caisse enregistreuse et il se sentait à sa place. Cette monnaie-là avait cours. Tout le monde en comprenait le sens et lui accordait foi. C'est ce qui faisait sa valeur et nulle autre valeur chimérique ne pouvait lui être opposée, sur la terre comme au ciel. Libero n'avait plus envie de résister. Et tandis que Matthieu réalisait son rêve immémorial, tandis qu'il saccageait avec une joie sauvage les terres de son passé livré aux flammes, effaçant aussitôt les messages de soutien et de regrets que Judith lui envoyait obstinément, sois heureux, quand te reverrai-je ? ne m'oublie pas, comme s'il pouvait maintenant la chasser de son rêve, Libero avait cessé de rêver depuis longtemps déjà. Il reconnaissait sa défaite et donnait son assentiment, un assentiment douloureux, total, désespéré, à la stupidité du monde.

“Toi, vois ce que tu es.
Car nécessairement vient le feu”

Mais les montagnes dissimulent le grand large et se dressent de toute leur masse inerte contre Marcel et ses rêves inlassables. Depuis la cour de l'école primaire supérieure de Sartène, il ne distingue que la pointe du golfe qui s'enfonce dans les terres et la mer ressemble à un grand lac, paisible et dérisoire. Il n'a pas besoin de voir la mer pour rêver, les rêves de Marcel ne se nourrissent ni de contemplation ni de métaphore mais de combat, un combat incessant mené contre l'inertie des choses qui se ressemblent toutes, comme si, sous l'apparente diversité de leurs formes, elles étaient faites de la même substance lourde, visqueuse et malléable, même l'eau des fleuves est trouble et, sur les rivages déserts, le clapotis des vagues exhale un écœurant parfum de marais, il faut lutter pour ne pas devenir inerte soi-même et se laisser lentement engloutir comme par des sables mouvants, et Marcel mène encore un combat incessant contre les forces déchaînées de son propre corps, contre le démon qui s'acharne à le clouer au lit, la bouche pleine d'aphtes, la langue rongée par le flux des sucs acides, comme si une vrille avait creusé dans sa poitrine et dans son ventre un puits de chair à vif, il lutte contre le désespoir d'être sans cesse cloué au fond d'un lit humide de sueur et de sang, contre le temps perdu, il lutte contre le regard las de sa mère, contre le silence résigné de son père en attendant d'avoir regagné, en même temps que ses forces, le droit d'être là, dans la cour de l'école primaire supérieure de Sartène, la vue bouchée par la barricade des montagnes. Il est le premier et le seul de ses frère et sœurs à poursuivre ses études au-delà du certificat et ni les démons de son corps ni l'inertie des choses ne l'empêcheront de les poursuivre jusqu'à l'École normale et encore au-delà, il ne veut pas être instituteur, il ne veut pas dispenser d'inutiles leçons à des enfants pauvres et sales dont le regard apeuré le renverra au désarroi de sa propre enfance, il ne veut pas quitter son village pour aller s'enterrer dans un autre village désespérément semblable, accroché comme une tumeur au sol d'une île dans laquelle rien ne change car, en vérité, rien ne change ni ne changera jamais. Depuis l'Indochine, Jean-Baptiste envoie de l'argent, et il a acheté à ses parents une maison suffisamment grande pour que tous les membres de la famille puissent s'y retrouver l'été sans être obligés de dormir serrés les uns contre les autres comme des bêtes dans une étable, Marcel a sa propre chambre, mais les peaux mortes sont restées accrochées aux lèvres sèches de son père et le front de sa mère est toujours creusé par la ride profonde et rectiligne du deuil, ils ne semblent ni plus jeunes ni plus vieux que quinze ans auparavant, juste après la fin du monde, et quand il contemple sa propre silhouette dans le miroir, Marcel a le sentiment qu'il est né ainsi, vacillant et maigre, et que l'enfance l'a marqué d'un sceau cruel dont rien ne pourra le libérer. Sur les photos qu'il leur faisait parvenir, Jean-Baptiste changeait parce qu'il vivait dans une partie du monde où le temps laissait encore des signes tangibles de son passage, il grossissait à vue d'œil puis maigrissait tout aussi brutalement, comme si son corps était constamment bouleversé par le flux anarchique et puissant de la vie même, il posait au garde-à-vous, dans un alignement impeccable d'uniformes et de chevaux ou à moitié débraillé, le képi placé sur l'arrière du crâne, devant des plantes inconnues, en compagnie d'autres militaires et de filles vêtues de soie, son visage était déformé par la graisse et la suffisance, ou creusé par la fatigue, la débauche, la fièvre, mais on y lisait toujours la même expression goguenarde et réjouie, il se donnait des airs de maquereau et Marcel ne l'admirait plus, il le jalousait de jouir si ostensiblement d'un trésor qu'il ne méritait pas. Tout ce qu'il voyait de son frère lui était devenu insupportable, son goût manifeste pour les putains, sa carrure imposante, sa maigreur et sa graisse, l'insolence de son attitude, sa générosité même, car tout cet argent ne pouvait pas avoir été économisé sur sa solde de sergent-chef et devait sans aucun doute provenir de trafics abominables, de piastres, d'opium ou de chair humaine. Quand Jean-Baptiste revint au village pour le mariage de Jeanne-Marie, sa corpulence était exactement la même que le jour de son départ et une expression juvénile éclairait encore le visage de l'homme qu'il était devenu là-bas, dans ces contrées inimaginables où l'écume de la mer était translucide et luisait sous le soleil comme une gerbe de diamants, il était entouré de sa femme et de ses enfants, l'ancre dorée des troupes coloniales ornait ses manches et son képi, mais l'influence toxique de sa terre natale le renvoyait à nouveau vers ce qu'il n'avait jamais cessé d'être, un paysan inculte et gauche que le destin avait propulsé dans un monde qu'il ne méritait pas, et ni les caisses de champagne qu'il avait commandées pour le mariage de sa jeune sœur ni son projet grotesque d'ouvrir un hôtel à Saigon quand il aurait pris sa retraite militaire n'y changeraient rien. Ils étaient tous des paysans misérables issus d'un monde qui avait cessé depuis longtemps d'en être un et qui collait à leurs semelles comme de la boue, la substance visqueuse et malléable dont ils sont faits eux aussi et qu'ils emportent partout avec eux, à Marseille ou Saigon, et Marcel sait qu'il est le seul qui pourra réellement s'échapper. Les beignets étaient trop secs et recouverts d'une pellicule de sucre durcie, la tiédeur fade du champagne laissait dans la gorge un goût de cendres et les hommes transpiraient sous le soleil d'été, mais Jeanne-Marie rayonnait d'une joie timide et le voile de satin et de dentelles blanches qui soulignait l'ovale de son visage lui donnait la grâce d'une antique vierge de Judée. Elle dansait, accrochée de toutes ses forces aux épaules de son mari qui souriait gravement comme s'il savait déjà qu'il ne devait pas survivre à la nouvelle guerre qui les guettait déjà tous. Car au-delà de la barricade des montagnes, au-delà de la mer, il y a un monde en ébullition et c'est là-bas, loin d'eux, sans eux, que se jouent une fois de plus leur vie et leur avenir, et c'est ainsi qu'il en a toujours été. Mais les rumeurs de ce monde se perdent au large, bien avant de les atteindre, et les échos qui parviennent à Marcel sont si lointains et confus qu'il n'arrive pas à les prendre au sérieux, et il hausse les épaules avec dédain quand son ami Sébastien Colonna, dans la cour de l'école primaire supérieure de Sartène, tente de lui faire partager ses enthousiasmes maurassiens et lui parle de l'aube des temps nouveaux, la renaissance de la patrie que les juifs et les bolcheviks ont livrée à la ruine, et Marcel lui dit, Mais qu'est-ce que tu racontes ? Tu n'as jamais vu un juif ou un bolchevik de ta vie ! en haussant les épaules avec dédain parce qu'il ne croit pas qu'on puisse s'enflammer ainsi pour l'irréalité brumeuse de telles abstractions. Ce qui fait battre le cœur de Marcel, c'est la pensée concrète et délicieuse de son prochain service militaire, son niveau d'études lui permettra d'être officier, il imagine déjà la ligne dorée de son galon d'aspirant et quand, pendant la noce, Jean-Baptiste, la bouche pleine de beignets, s'est amusé à le saluer avec une solennité comique, avant de lui ébouriffer les cheveux en riant, comme s'il avait dix ans, Marcel n'a pu s'empêcher d'en ressentir une joie indicible que la déclaration de guerre n'a pas même ternie. Jeanne-Marie est revenue s'installer dans la maison du village avec la femme et les enfants de Jean-Baptiste. Elles attendaient depuis la ligne Maginot les lettres quotidiennes qui leur parlaient d'ennui, de frustration et de victoire, le jeune époux de Jeanne-Marie lui écrivait qu'elle lui manquait, que les nuits devenaient froides et qu'il pensait à la tiédeur de sa peau contre la sienne, il avait hâte que les Allemands attaquent pour pouvoir les vaincre et revenir auprès d'elle et il écrivait qu'il ne la quitterait plus, il le lui jurait, quand tout cela ne serait qu'un lointain et glorieux souvenir, il ne la quitterait plus. Le temps passait et il lui écrivait encore des choses qu'il n'aurait jamais osé lui dire en face, fût-ce en murmurant, il lui parlait de son ventre dressé sous les caresses, de ses cuisses, de ses seins dont la pâleur le faisait mourir, et encore de victoire prochaine, comme si la gloire du corps de sa femme devait se mêler jusqu'à s'y confondre à celle du pays qu'il défendait, il devenait chaque jour plus exalté, précis et martial, et Jeanne-Marie s'enivrait de ses lettres et priait Dieu de le lui ramener bientôt, sans craindre de n'être pas exaucée. En mars 1940, après avoir affirmé au médecin militaire qu'il n'avait jamais eu le moindre problème de santé, Marcel laisse enfin sa sœur, son village et ses parents pour rejoindre un peloton d'élèves officiers dans un régiment d'artillerie de Draguignan. De l'autre côté de la mer, le démon de l'ulcère semble paralysé, privé de ses capacités de nuisance, et pour la première fois de sa vie, Marcel jouit d'une vitalité dont il ne soupçonnait pas l'existence, il se comporte comme le bon élève qu'il a toujours été et il est sourd à tout le reste, il n'entend pas le grondement des panzers, les arbres brisés dans les forêts des Ardennes, les clameurs de l'exode et les pleurs d'humiliation, tous les rêves de victoire balayés par un vent de déroute, il n'entend pas la voix de Philippe Pétain parler d'honneur et d'armistice, et tandis qu'au village arrivent la première lettre que Jean-Baptiste écrit du stalag et le télégramme qui apprend à Jeanne-Marie qu'elle est veuve à vingt-cinq ans, Marcel entend enfin, sans réussir à y croire, le chef de corps annoncer aux hommes de son peloton qu'ils ne seront jamais officiers et qu'ils sont tous affectés aux chantiers de jeunesse, il entend qu'il ne sera qu'un scout occupé à chanter la gloire du Maréchal et une brûlure acide lui déchire le ventre et la poitrine et le jette à genoux au milieu de ses camarades, devant le chef de corps qui le regarde vomir du sang dans la poussière. À sa sortie de l'hôpital, après avoir été réformé, il part s'installer à Marseille chez une de ses sœurs aînées et passe des journées entières allongé sur son lit, bercé par le ressentiment et la nausée, sans pouvoir se résoudre à rentrer au village pour y retrouver l'étreinte immuable de l'angoisse et du deuil et il reporte son départ, s'accrochant désespérément à cette ville immense et sale comme si elle devait lui apporter le salut. Il est certain que l'existence a contracté une dette immense envers lui dont elle ne pourra s'acquitter que s'il reste ici, car il sait que, dès qu'il posera le pied sur le sol natal, tous les comptes seront effacés, les injures et les préjudices, les compensations, et la vie ne lui devra plus rien. Il attend que quelque chose se passe et il arpente les rues de cette ville dont l'immensité et la saleté lui font peur, il jette des regards inquiets vers le port en essayant de résister aux séductions vénéneuses de la nostalgie et il se bouche les oreilles car il a peur d'entendre, depuis l'autre côté de la mer, la douceur de voix aimées qui l'invitent à revenir vers les limbes dont il est issu. Sébastien Colonna l'a rejoint et, tous les jours, des dizaines de ses compatriotes débarquent à Marseille pour y trouver un travail. Sur les recommandations d'un oncle de Sébastien, on l'a embauché à la Société générale. Mais les semaines se succédaient et les dettes demeuraient impayées. Était-ce ainsi que la vie s'acquittait de sa dette ? était-ce ainsi qu'elle le consolait de ne pas être officier, en le forçant à se plonger dans des livres de compte qui le faisaient suffoquer d'ennui, ne consentant qu'il s'en échappe que pour écouter Sébastien le gratifier de discours interminables sur les mérites de la révolution nationale, vanter la sagesse de Dieu qui aidait les hommes à tirer une leçon, édifiante et salutaire, des pires catastrophes, et louer le sacrifice et la résignation car la France avait besoin d'un traitement brutal pour se purger du poison qui la gangrénait – était-ce ainsi ? La vie ne le poursuivait-elle pas au contraire de son mépris réitéré jusque dans les bras de la putain qu'il s'était décidé à aborder pour satisfaire en même temps son désir de savoir et de consolation ? Elle avait des yeux noirs, compatissants, brillant d'une fausse douceur qui se dissipa dès qu'elle fut seule avec lui et aucune lueur n'éclairait plus le regard qu'elle posait sur lui pendant qu'il procédait à sa toilette intime dans un bidet grisâtre et fissuré, elle le regardait impitoyablement et il tremblait de honte, pressentant l'amertume de ce qu'il était sur le point d'apprendre et n'espérant plus la consolation. Il la suivit dans les draps qui sentaient le moisi où il dut supporter qu'elle lui fît jusqu'au bout l'affront de son impassibilité. Il sentait la chaleur à l'endroit où leurs ventres se rejoignaient et se mêlaient comme des cloaques de reptiles, il sentait la moiteur de ses seins pressés contre sa poitrine, de ses jambes contre les siennes, des images intolérables naissaient dans l'esprit de Marcel, il était une bête, un grand oiseau vorace et frémissant qui s'enfouissait jusqu'au cou dans les entrailles d'une charogne, car elle conservait l'impassibilité obscène d'une charogne, ses yeux morts levés vers le plafond, et là où leurs peaux se touchaient, à chaque point de contact, des fluides s'échangeaient, la lymphe transparente, les humeurs intimes, comme si son corps devait garder à jamais, dans une hideuse métamorphose, la trace du corps de cette femme qu'il ne reverrait plus et dont il ne savait pas le nom, et il se redressa brutalement pour s'habiller et partir. Il déboucha dans la rue en haletant, du sang étranger coulait dans ses veines, la sueur qui ruisselait sur ses paupières n'avait plus la même odeur et il crachait par terre parce qu'il ne reconnaissait pas le goût de sa propre salive. Pendant des semaines, il scruta son corps avec angoisse, chaque petit bouton, chaque rougeur de peau, il se sentait condamné à l'eczéma, aux mycoses, à la syphilis, à la blennorragie, mais quel que soit le nom de la maladie qui le guettait, elle ne serait que la forme superficielle sous laquelle le mal qui s'était emparé de lui manifesterait sa présence irrémédiable et il harcela les médecins chaque semaine jusqu'à ce que l'armée allemande envahisse la zone libre et le force à s'arracher à lui-même. Sébastien Colonna était horrifié, il fustigeait l'inconséquence des Alliés, la fourberie de Hitler qui ne respectait pas sa parole, mais sa confiance en l'autorité paternelle du Maréchal était manifestement ébranlée, il avait peur qu'on l'envoie travailler de force dans une usine allemande et il disait à Marcel, Il faut qu'on s'en aille d'ici, il faut partir tout de suite. Mais les bateaux ne quittaient plus le port. Sébastien apprit de son oncle qu'un paquebot devait appareiller depuis Toulon pour Bastia quelques jours plus tard. Marcel et lui partirent en car. Ils virent s'élever au-dessus de la mer des colonnes de fumée noire, il ne restait de la flotte française sabordée qu'un énorme amas de tôles et d'acier qui obstruait la rade, les chasseurs-bombardiers allemands piquaient en sifflant sur les rares navires qui tentaient de s'échapper en se faufilant entre les mines et les filets métalliques, et Sébastien se mit à pleurer. Quand l'urgence de sa propre situation lui fut enfin apparue au moins aussi digne d'intérêt que l'honneur de la marine de guerre, il expliqua à Marcel qu'il leur fallait absolument passer en zone italienne s'ils voulaient conserver une chance de rentrer chez eux. Marcel lui répondit qu'il n'avait plus d'argent pour continuer le voyage et qu'il allait rentrer chez sa sœur à Marseille mais Sébastien refusa, il n'en était pas question, il avait de l'argent et il ne l'abandonnerait pas, et Marcel comprit ainsi que l'amitié est un mystère. Ils réussirent à atteindre Nice pour retrouver leur village une semaine plus tard. Le deuil de Jeanne-Marie a envahi la maison et y flotte comme un brouillard que rien ne viendra dissiper. Tout s'estompe sous un voile de silence si pesant que Marcel se réveille parfois en sursaut en regrettant le sifflement des bombes dans la rade de Toulon. Il se lève pour boire et il trouve son père debout dans la cuisine, parfaitement immobile, les yeux fixes, et Marcel lui demande, Papa, qu'est-ce que vous faites là ? sans obtenir d'autre réponse qu'un hochement de tête qui le renvoie à l'éternité du silence, il regarde son père avec terreur, debout dans sa chemise de laine rêche, avec ses paupières aux cils brûlés, ses lèvres blanches et, malgré la panique qui l'envahit, il ne peut détourner le regard, il rassemble ses forces, il passe près de lui, prend la cruche pour se servir de l'eau et retourne se coucher, en se jurant qu'il ne se lèvera pas les nuits suivantes, même si la soif le torture, car il sait qu'il retrouvera son père debout à la même place, hors du monde, figé dans une stupeur douloureuse à laquelle la mort elle-même ne pourra mettre fin. Marcel voudrait s'extirper de sa gangue de silence, il écoute le grand vent de la révolte souffler autour de lui et il attend que ses bourrasques sanglantes arrachent les portes et les fenêtres de la maison pour y faire pénétrer l'air pur. Sébastien Colonna lui rapporte des histoires de parachutage, d'attentats à la grenade, il raconte que, dans l'Alta Rocca, deux cousins Andreani ont massacré un Italien avant de prendre le maquis, et il condamne ces actes absurdes et criminels sans se rendre compte que Marcel ne partage pas sa réprobation et s'imagine déjà en train de prendre les armes contre l'envahisseur. Au début du mois de février, un inconnu se mit à tuer des soldats italiens isolés, toutes les semaines, avec une implacable régularité. On retrouvait les cadavres étendus dans la boue, près d'une moto renversée, sur des routes de montagne, dans un rayon de quelques kilomètres autour du village. Ils avaient été abattus à la chevrotine et parfois achevés d'un coup de couteau dans la gorge, saignés comme des porcs, certains avaient été plus ou moins dévêtus et tous avaient été affreusement déchaussés. Les chaussures demeuraient introuvables et c'était ce détail pourtant anodin qui frappait les esprits de respect et de terreur, comme si l'assassin se livrait à un rituel d'autant plus épouvantable qu'il était incompréhensible, et il se murmurait que les maquis n'y étaient pour rien, que c'était l'œuvre d'un mystérieux partisan, messager de la mort infaillible, impitoyable et solitaire comme l'Archange du Seigneur des armées. Au village, à l'exception de Sébastien Colonna, dont le mépris des Italiens était largement contrebalancé par son admiration pour Mussolini et sa soumission, viscérale et passionnée, à l'autorité, tous les jeunes hommes voulaient entrer en résistance et devenir eux aussi des tueurs redoutables et des guerriers au service de la justice. L'inaction leur était maintenant intolérable. Ils se réunissaient pour discuter de ce qu'ils pouvaient faire, ils envisageaient de liquider des traîtres et des collaborateurs, le nom de Sébastien fut même avancé, mais Marcel plaida sa cause avec chaleur et rappela qu'il n'avait jamais fait aucun mal à personne. Ils finirent par obtenir un rendez-vous nocturne en montagne avec un groupe combattant et ils partirent du village à une heure du matin, marchant ensemble dans la nuit froide, portés par l'enthousiasme de leur jeunesse guerrière, mais quand ils eurent dépassé l'école, ils entendirent résonner des pas cadencés qui s'avançaient dans leur direction, quelques dizaines de mètres au-dessus d'eux et ils redescendirent en courant vers le village, regagnèrent leur maison pour guetter, le cœur battant, le passage de la patrouille italienne qu'ils ne virent jamais car ils s'étaient enfuis devant l'écho de leurs propres pas que leur renvoyait le silence glacé de la nuit. La honte les terrassait. Ils s'évitaient soigneusement pour ne pas avoir à faire face à leur déshonneur. Au printemps, le tueur mystérieux cessa de faire parler de lui et personne ne sut s'il avait péri ou s'il avait regagné le séjour céleste dans l'attente de l'Apocalypse. Le mystère ne fut résolu que pendant le soulèvement de septembre qui se résuma pour Marcel à quelques allées et venues dans les rues du village, un fusil inutile à la main. Ange-Marie Ordioni descendit de la bergerie surplombant la forêt de Vaddi Mali dans laquelle il menait avec sa femme une vie sauvage de chasseur néolithique. Il était chaussé de brodequins italiens et portait une veste militaire dont il avait décousu les insignes et les galons. En plein hiver, son unique paire de chaussures s'était mise à partir en lambeaux, il lui avait été impossible de les raccommoder et il n'avait pas d'argent pour s'en acheter de neuves. Il lui avait semblé tout naturel de se servir sur l'occupant mais il lui avait fallu du temps pour trouver une paire à sa taille car, en dépit de sa stature d'homme des cavernes, il avait des pieds ridiculement petits. Un responsable du Front national hurla qu'il était un imbécile et un inconscient et qu'il devrait le faire fusiller sur-le-champ mais Ange-Marie le regarda froidement et lui répondit qu'il ferait mieux de se taire. En montagne, il fallait de bonnes chaussures. Les forces françaises arrivèrent dans le village, les goumiers riaient et buvaient, ils chantaient en arabe dans les rues,

Marcel regardait avec stupeur leur crâne rasé, la longue mèche de cheveux tressés qui pendait sur leur nuque, la courbure sarrasine de leurs couteaux, et Sébastien lui disait, Regarde un peu de quoi ont l'air nos libérateurs, des Maures et des Nègres, c'est toujours pareil, les barbares offrent d'abord leurs services à l'Empire avant d'en précipiter la chute et de le détruire. Il ne restera rien de nous. Quelques semaines plus tard, ils vomissaient côte à côte sur le Liberty Ship qui les emmenait vers Alger au travers des tempêtes. Des paquets de mer épais comme de la boue les purifiaient de leur souillure et leur glaçaient les os. À Maison-Carrée, un sous-officier assis derrière un petit bureau, le nez plongé dans un registre anodin, leur communiqua leurs affectations respectives d'un air nonchalant et rien n'indiquait que c'était là, derrière ce bureau, que se décidaient les grâces et les sentences de mort, car c'était le lieu solennel de la bifurcation des chemins, le lieu de la séparation sans appel des brebis et des boucs, les uns à gauche, les autres à droite, mais personne ne leur demanda de choisir entre la gloire d'une mort au combat et une vie d'insignifiance, et au moment où Sébastien Colonna apprenait le nom de son régiment d'infanterie, il avait déjà entamé son parcours inéluctable vers les balles de mitrailleuse qui l'attendaient depuis toujours à Monte Cassino. Marcel le serra machinalement dans ses bras sans savoir qu'il ne reverrait plus de lui que son nom, gravé par des mains inconnues en lettres dorées sur le monument aux morts, comme si le marbre était moins périssable que la chair, et il monta dans un train pour Tunis. À son arrivée, il apprit qu'on le renvoyait à Casablanca, avec sa batterie, pour y être formé au maniement de pièces de DCA américaines et il renonça à comprendre la logique des déplacements militaires. Le train repartit vers l'ouest en longeant la mer pour un long voyage de trois semaines. Il était allongé avec ses camarades dans des wagons de marchandises au sol recouvert d'une paille tiède sur laquelle il passa le plus clair de son temps à somnoler, ne s'arrachant à sa torpeur que pour jouer aux cartes ou regarder défiler tristement des plaines et des villes silencieuses dont pas une seule ne tenait les promesses de ses rêves, la mer caressait à nouveau des rivages éteints et rien ne demeurait des contes merveilleux qui peuplaient les livres d'histoire, ni le feu de Baal, ni les légions africaines de Scipion, aucun cavalier numide n'assiégeait les murs de Cirta pour rendre à Massinissa le baiser de Sophonisbe qui lui avait été volé, les murs et leurs assiégeants étaient retournés ensemble à la poussière et au néant car le marbre et la chair sont également périssables et, à Bône, de la cathédrale qui avait recueilli la prédication d'Augustin et son dernier souffle recouvert par les clameurs des Vandales, il ne restait qu'un terrain vague, recouvert d'herbes jaunes et battu par le vent. Il prit ses quartiers à Casablanca, bien décidé à se racheter de son indolence pour devenir un soldat mais les Américains ne livraient pas les pièces de DCA et l'attente devint bientôt si insupportable qu'il faillit retourner au bordel. Il n'arrivait pas à croire qu'à l'heure où se jouait l'avenir du monde, on l'avait à nouveau condamné à l'ennui et l'immensité de l'Atlantique ne lui apportait aucune consolation. Au bout d'un mois, il apprit qu'on recherchait des officiers d'intendance et il se porta immédiatement candidat. Si on lui refusait la satisfaction du combat, au moins pourrait-il devenir ce qu'il avait toujours voulu être. Il se sentait enfin heureux et il le demeura jusqu'à ce que le colonel le convoquât pour lui reprocher son ignominie en des termes d'une violence inouïe, il écumait, il tapait du poing sur son bureau, vous n'êtes qu'un petit fumier, Antonetti, doublé d'un lâche, et Marcel, éperdu, bafouillait en vain, mais mon colonel, mon colonel et le colonel hurlait, officier d'intendance ? d'intendance ? répétant le mot "intendance" comme s'il s'agissait d'une obscénité sans nom qui lui souillait la bouche, vous avez peur de vous battre, c'est ça ? Vous préférez vous planquer à compter les kilos de patates et les paires de chaussettes ? Fumier ! Petit fumier ! et Marcel lui jura qu'il ne vivait que pour se battre mais qu'il avait toujours voulu devenir officier et qu'il avait vu là une opportunité qu'il fallait saisir, mais le colonel ne se calmait pas, il fallait venir me voir, si vous vouliez devenir officier, un officier d'artillerie, monsieur ! un officier honorable ! je vous aurais inscrit à un peloton mais l'intendance ? Nom de Dieu, l'intendance ? Pas un seul de mes hommes ne finira à l'intendance, vous m'entendez ? pas un seul ! et maintenant foutez-moi le camp avant que je vous colle au trou ! Marcel sortit le ventre en feu, tous ses espoirs à nouveau impitoyablement balayés, et il ne put que continuer à attendre les pièces de DCA qui n'arrivaient pas jusqu'à ce qu'on l'affectât finalement au secrétariat d'un lieutenant de l'intendance sans que ni le colonel ni personne y vît quoi que ce soit de paradoxal ou de scandaleux. Il regagna la France avec le lieutenant à la fin de 1944 et ils remontèrent lentement vers le nord à des centaines de kilomètres en arrière de la ligne de front. Marcel tenait des registres et préparait du mauvais café. Il n'entendit jamais le fracas des armes. Une seule fois, à Colmar, à quelques centaines de mètres de la voiture qu'il conduisait, un obus fourvoyé tomba en soulevant de la poussière et des gravats. Marcel s'arrêta. Il regardait autour de lui la ville en ruine qu'aucun obus ne pouvait détruire davantage. Ses oreilles bourdonnèrent agréablement pendant quelques minutes. Il se tourna vers le lieutenant pour lui demander s'il allait bien et il épousseta sa manche du plat de la main, en fronçant un peu les sourcils, et ce fut là son unique fait d'armes, la seule chose qui pût lui faire penser que la guerre ne l'avait pas complètement tenu éloigné d'elle. Et maintenant, la guerre est finie et il est au village au sein de sa famille. Il se laisse étreindre par son père qui le serre contre lui avec Jean-Baptiste, et relâche son étreinte et les attire à nouveau à lui comme s'il n'arrivait pas à se persuader qu'on ne lui avait pris aucun de ses fils. Jean-Baptiste est rayonnant, il a terriblement grossi. Il a passé les trois dernières années de la guerre dans une ferme de Bavière tenue par quatre sœurs, il cligne de l'œil en parlant d'elles, après s'être assuré que sa femme ne le regarde pas et Marcel craint qu'il ne cherche à s'isoler avec lui pour se répandre en confidences graveleuses. Il ne veut pas l'entendre. Il a vingt-six ans. Il ne reverra plus la cour de l'école primaire supérieure de Sartène, il est trop vieux et, quand il regarde ses mains, il lui semble qu'elles vont bientôt s'effriter comme des mains de sable. À Paris, en allant chercher Jean-Baptiste, Jeanne-Marie a rencontré au Lutetia un garçon bien plus jeune qu'elle, un résistant de retour de déportation, et elle annonce qu'elle va l'épouser. Elle est déjà irrémédiablement usée par le chagrin et elle le sait, mais elle fait comme si elle croyait encore en l'avenir. Marcel lui en veut de faire tant d'efforts inutiles et dérisoires pour paraître vivante, il souffre de voir sa sœur jouer ainsi la comédie de l'oubli, il refuse de feindre la joie et, tandis qu'elle s'affaire aux préparatifs du mariage, il lui oppose un silence têtu et dédaigneux. Mais dans l'église, alors qu'elle monte vers l'autel où l'attend André Degorce, mince et juvénile dans son uniforme de saint-cyrien, elle s'arrête un instant pour se tourner vers Marcel et lui sourire d'un sourire enfantin qu'il ne peut que lui rendre comme malgré lui. Elle ne joue aucune comédie, elle ne s'abaisse pas plus au reniement qu'à la parodie parce que les ressources infinies de l'amour qu'elle porte en elle l'en préservent à jamais. Marcel a honte de sa lucidité et de son cynisme et, dans la clarté du matin, il a à nouveau honte, honte de son cœur veule, son cœur plein de ténèbres, il a honte devant André d'avoir été un si piètre guerrier, et il a honte de sa chance méprisable et encore honte de n'être pas même capable de s'en réjouir, il regarde André avec un respect envieux, et il a honte de l'accueillir dans ce village misérable, tous les invités de la noce lui font honte, les Colonna, encore en deuil, et les Susini, qui ont permis à leur fille demeurée, enceinte de son énième bâtard, de les accompagner et Ange-Marie Ordioni, cramoisi de fierté, pressant contre sa poitrine couverte de médailles le gros garçon que sa femme vient de mettre au monde dans la crasse de leur bergerie, il a honte de ses propres parents, de la vitalité obscène et débordante de Jean-Baptiste, et de lui-même, qui porte dans sa poitrine un cœur veule et plein de ténèbres. Il regarde danser sa sœur, dans les bras d'André. Les enfants courent entre les tables bancales. Ange-Marie Ordioni fait téter à son fils un doigt qu'il a trempé dans son verre de vin rosé. Marcel entend les rires et les fausses notes de l'accordéon, la voix tonitruante de Jean-Baptiste. Il s'assoit au soleil près de sa mère qui lui prend la main et hoche tristement la tête. Elle seule semble ne pas se réjouir de voir la vie reprendre. Comment la vie pourrait-elle reprendre alors qu'elle n'a pas encore commencé ?

“Ce que l’homme fait,
l’homme le détruit”

Au mois d'août, avant son départ pour l'Algérie, Aurélie vint passer une quinzaine de jours au village avec celui qui partageait encore sa vie et elle fut stupéfaite d'y trouver le jaillissement d'une vie bouillonnante et désordonnée qui déferlait sur toute chose mais prenait manifestement sa source dans le bar de son frère. On y trouvait une clientèle hétéroclite et joyeuse, qui mêlait les habitués, des jeunes gens venus des villages alentour et des touristes de toutes nationalités, incroyablement réunis dans une communion festive et alcoolisée que ne venait troubler, contre toute attente, aucune altercation. On aurait dit que c'était le lieu choisi par Dieu pour expérimenter le règne de l'amour sur terre et les riverains eux-mêmes, d'habitude si prompts à se plaindre des moindres nuisances, au premier rang desquelles il fallait compter la simple existence de leurs contemporains, arboraient le sourire inaltérable et béat des élus. Bernard Gratas, revenu victorieux des enfers, semblait maintenant touché par le souffle de l'Esprit à qui rien n'échappe. Il avait bénéficié d'une promotion foudroyante qui l'avait propulsé directement des affres de la plonge à la confection des sandwiches, tâche dont il s'acquittait avec bonne humeur et célérité. Quatre serveuses sillonnaient la salle et la terrasse en portant gracieusement des plateaux, derrière le comptoir, une femme plus âgée, assise sur un tabouret, veillait sur la caisse, un jeune homme chantait en s'accompagnant à la guitare des chansons corses, anglaises, françaises et italiennes et, quand il attaquait un air entraînant, tous les clients tapaient dans leurs mains avec enthousiasme. Matthieu et Libero se consacraient à l'approfondissement des relations humaines, passant de table en table pour s'enquérir du bien-être de leurs hôtes, faire resservir des tournées et gratouiller le menton des petits enfants après leur avoir offert une crème glacée, et ils étaient les maîtres d'un monde parfait, un pays béni, ruisselant de lait et de miel. Même Claudie devait se rendre à l'évidence et elle disait en soupirant,

— Peut-être est-il fait pour ça,

elle regardait son fils rayonnant de bonheur, passant de table en table, et elle disait encore,

— N'est-ce pas son bonheur qui compte ?

et Aurélie ne voulait pas la contrarier en lui avouant que Matthieu l'exaspérait au-delà de toute mesure, et qu'elle ne voyait rien dans son bonheur que l'expression du triomphe d'un enfant gâté, un petit morveux qui, à force de cris et de larmes, a fini par obtenir le jouet qu'il convoitait. Elle le regardait manipuler son jouet devant un public conquis, et faire étalage de sa joie, et il était à craindre que l'exaspération qu'elle en ressentait ne fût pas même profonde et durable, car elle ne relevait pas de la souffrance d'un amour déçu, ni de la colère, elle n'était que le prélude à une forme définitive d'indifférence, le garçon qu'elle avait tant aimé et consolé si souvent s'était lentement transformé en un être sans envergure ni intérêt, dont le monde était borné par l'horizon de ses petits désirs et Aurélie savait que, quand elle en aurait pris la mesure, il lui deviendrait totalement étranger. Elle était venue pour embrasser les siens avant de partir, son grand-père surtout, et profiter de leur présence, et elle assistait tous les soirs après dîner au numéro de Matthieu, car il était apparemment devenu obligatoire de faire une étape au bar et d'y boire un verre en famille, Matthieu venait s'asseoir à leur table, il parlait de ses projets d'animation pour l'hiver, des combines que Libero et lui avaient imaginées pour s'approvisionner en charcuterie, du logement des serveuses, et l'homme qui partageait alors, pour quelques mois encore, la vie d'Aurélie semblait trouver tout cela passionnant, il posait des questions pertinentes, il donnait son avis, comme s'il lui fallait absolument gagner l'affection de Matthieu à moins, comme Aurélie commençait à le soupçonner sérieusement, qu'il ne fût au fond un imbécile qui se réjouissait d'avoir rencontré un autre imbécile avec lequel il pouvait proférer à son aise toutes sortes d'imbécillités. Mais elle se reprochait aussitôt la cruauté de son regard, la facilité avec laquelle l'amour se transformait soudainement en mépris, et elle se sentait triste d'avoir le cœur mauvais. Elle n'avait rien contre les patrons de bar, les sandwiches et les serveuses, et n'aurait pas porté de jugement sur les choix de Matthieu si elle les avait crus sincères et réfléchis mais elle ne pouvait supporter ni la comédie, ni le reniement, et Matthieu se comportait comme s'il lui fallait s'amputer de son passé, il parlait avec un accent forcé qui n'avait jamais été le sien, un accent d'autant plus ridicule qu'il lui arrivait de le perdre au détour d'une phrase avant de se raviser en rougissant et de reprendre le cours de sa grotesque dramaturgie identitaire d'où la moindre pensée, la plus petite manifestation de l'esprit étaient exclues comme des éléments dangereux. Et Libero lui-même, qu'Aurélie avait toujours considéré comme un garçon fin et intelligent, semblait résolu à suivre le même chemin, se contentant de répondre par une onomatopée vaguement interrogative quand elle lui apprit qu'elle allait passer l'année à venir entre l'université d'Alger et Annaba, où elle participerait aux fouilles du site d'Hippone avec une équipe d'archéologues français et algériens, comme si saint Augustin, à l'œuvre duquel il venait de consacrer un an de sa vie, ne méritait plus une seconde d'attention supplémentaire. Aurélie avait renoncé à leur parler de ce qui lui tenait à cœur et, chaque soir, quand elle avait atteint la limite de ce qu'elle pouvait supporter en matière de chants, de rires et d'inepties, elle se levait de table et demandait à son grand-père,

— Tu ne veux pas que nous allions marcher un moment ?

et elle précisait,

— Tous les deux ?

afin que personne n'ait l'idée de se joindre à eux et ils marchaient ensemble sur la route, en direction de la montagne, Marcel prenait le bras de sa petite-fille, ils laissaient derrière eux les rumeurs de la fête, et les lumières, et ils s'asseyaient un moment près de la fontaine, sous le grand ciel étoilé de la nuit d'août. C'était la première fois qu'elle était sollicitée pour un projet de coopération internationale et elle avait hâte de se mettre au travail. Ses parents s'inquiétaient pour sa sécurité. L'homme qui partageait alors sa vie s'inquiétait pour la pérennité de leur relation. Matthieu ne s'inquiétait de rien. Son grand-père la regardait comme une magicienne capable à elle seule d'extirper les mondes disparus des gouffres de poussière et d'oubli qui les avaient engloutis et, dans ses moments d'enthousiasme, quand elle avait commencé ses études, c'est ainsi qu'elle s'était elle-même rêvée. Elle était devenue plus humble et plus sérieuse. Elle savait qu'il n'est aucune vie loin des yeux des hommes et elle s'efforçait d'être l'un de ces regards qui ne laissent pas la vie s'éteindre. Mais son mauvais cœur lui murmurait parfois que ce n'était pas vrai, elle ne ramenait à la lumière que des choses mortes et elle ne leur insufflait aucune vie, au contraire, c'était sa propre vie qui, d'un bout à l'autre, se laissait peu à peu envahir par la mort, et Aurélie se serrait contre son grand-père dans la nuit. Quand l'heure du départ arriva, elle l'embrassa de toutes ses forces puis embrassa chacun des siens en essayant de ne pas monnayer son affection. Matthieu lui demanda,

— C'est quand même bien ce qu'on a réussi à faire, non ?

et il quêtait son approbation avec une insistance si enfantine qu'elle ne put que lui répondre,

— Oui, c'est très bien, je suis heureuse pour toi,

en lui donnant un autre baiser. Elle repartit pour Paris avec l'homme qui partageait alors sa vie et, quelques jours plus tard, il l'accompagnait à Orly où il y eut encore, dans le jour naissant, après une nuit d'amour qu'il avait voulue intense et solennelle, des embrassades et des baisers qu'Aurélie donna et reçut du mieux qu'elle le put. L'avion d'Air France était presque vide. Aurélie essaya de lire mais n'y parvint pas. Elle ne pouvait pas dormir non plus. Le ciel était clair. Quand l'avion survola les Baléares, Aurélie colla son visage au hublot et regarda la mer jusqu'à ce qu'apparût la côte africaine. À Alger, les hommes de la sécurité nationale, armés de fusils à pompe, attendaient l'avion sur le tarmac à son point de stationnement. Elle descendit de la passerelle en s'efforçant de ne pas les regarder et grimpa dans un bus grinçant qui la conduisit jusqu'à l'aérogare. Aux guichets de la police des frontières régnait une cohue indescriptible. Trois ou quatre vols avaient dû atterrir en même temps, dont un 747 qui arrivait de Montréal avec neuf heures de retard, et les policiers scrutaient avec un soin extrême chaque passeport qu'on leur tendait, s'abîmant dans une longue et mélancolique contemplation du visa avant de se résigner à leur octroyer nonchalamment le coup de tampon libérateur. Au bout d'une heure, quand elle parvint au tapis de livraison des bagages, elle trouva toutes les valises éparpillées dans la salle, sur un sol recouvert de mégots, et craignit de ne pas retrouver la sienne. Elle dut encore montrer son passeport tamponné, adresser des sourires à des douaniers impassibles et passer sous des portails électroniques avant de se retrouver dans le hall des arrivées. Derrière des barrières, une foule de gens se pressait en guettant la porte. Aurélie avait le cœur battant d'angoisse, elle ne s'était jamais sentie aussi perdue et solitaire, elle avait envie de repartir sur-le-champ, et quand elle lut son nom écrit en lettres capitales sur une feuille de papier qu'agitait une main inconnue, elle en ressentit un soulagement si violent qu'elle eut du mal à se retenir de pleurer.

Libero n'avait aucune intention de commettre les mêmes erreurs que ses prédécesseurs malheureux. Il se savait aussi incompétent que Matthieu en matière de gestion de bar mais ne doutait pas que sa connaissance du terrain et un minimum de bon sens leur éviteraient une nouvelle déroute. Il parlait de l'avenir en visionnaire et Matthieu l'écoutait comme s'il était le sceau des prophètes, il leur fallait modérer leurs ambitions sans y renoncer tout à fait, il était exclu qu'ils offrent un service de restauration complet, c'était un bagne et un gouffre financier, mais ils devaient proposer à manger à leurs clients, surtout en été, quelque chose de simple, de la charcuterie, des fromages, peut-être des salades, sans lésiner sur la qualité, Libero en était certain, les gens étaient prêts à payer le prix de la qualité, mais comme il fallait se résigner à vivre à l'heure du tourisme de masse et accueillir également des cohortes de gens fauchés, il était hors de question de se cantonner aux produits de luxe et ils ne devaient pas hésiter à vendre aussi de la merde à vil prix, et Libero savait comment résoudre cette redoutable équation, son frère Sauveur et Virgile Ordioni leur fourniraient du jambon de premier choix, du jambon de trois ans, et des fromages, quelque chose de vraiment exceptionnel, et même de si exceptionnel que quiconque y aurait goûté mettrait la main au portefeuille en pleurant de gratitude, et pour le reste, inutile de s'embarrasser avec des produits de seconde zone, les saloperies que vendaient les supermarchés dans leurs rayons terroir, conditionnés dans des filets rustiques frappés de la tête de Maure et parfumés en usine avec des sprays à la farine de châtaigne, autant y aller carrément dans l'ignoble, en toute franchise, sans chichis, avec du cochon chinois, charcuté en Slovaquie, qu'on pourrait refourguer pour une bouchée de pain, mais attention, il ne fallait pas prendre les gens pour des cons, il fallait annoncer la couleur et faire en sorte qu'ils comprennent les différences de prix et n'aient pas l'impression de se faire entuber à sec, la daube, c'est cadeau, la qualité, tu raques, l'honnêteté était absolument indispensable en la matière, non seulement parce qu'elle était une vertu recommandable en elle-même, mais surtout parce qu'elle jouait à peu près le rôle de la vaseline, il fallait préparer des plateaux de dégustation pour que les clients puissent se faire une idée, vous goûtez et vous prenez la commande après, mais non, je vous en prie, reprenez donc un bout pour être sûr, et cette scrupuleuse honnêteté serait d'autant plus récompensée que, quel que soit le choix final, leur marge serait sensiblement la même, ils allaient les saigner, tous ces connards, les pauvres, les riches, sans distinction d'âge ni de nationalité, mais les saigner honnêtement, et même en les choyant, un patron de bar devait s'occuper de sa clientèle, il ne pouvait pas passer son temps vissé derrière sa caisse, comme ce demeuré de Gratas, il fallait qu'il soit disponible, avenant, soucieux de faire plaisir, et le problème crucial à résoudre était donc celui des serveuses. Vincent Leandri les emmena un soir chez un de ses amis qui avait géré plusieurs affaires sur le continent et tenait maintenant, au bord de la mer, un bar de nuit chic et discret qui aurait cependant dû lui valoir une condamnation immédiate pour proxénétisme aggravé, comme Matthieu et Libero ne tardèrent pas à s'en rendre compte. Il les accueillit à bras ouverts et les régala généreusement de champagne.

— Vous avez besoin de quelqu'un de fiable. Et qui connaît la musique.

Il passa un coup de téléphone et leur annonça qu'Annie, une serveuse expérimentée qui avait déjà travaillé pour lui, pourrait être intéressée. Elle arriva un quart d'heure plus tard, déclara que Matthieu et Libero étaient adorables, but un demi-litre de champagne et leur assura qu'elle serait ravie de leur donner un coup de main. Elle tiendrait la caisse et gérerait les stocks. Pour le service en salle, il leur faudrait trouver une autre serveuse. L'ami de Vincent secoua la tête.

— Pas une. Une, ça ne suffit pas. Plutôt trois ou quatre.

Libero lui fit remarquer que le bar n'était pas très grand, qu'ils n'avaient pas besoin d'autant de filles et qu'il ne voyait pas bien avec quel argent ils pourraient les payer. Mais l'ami de Vincent insista.

— C'est l'été, si vous n'êtes pas deux cloches, vous aurez du monde. Si vous voulez rester ouvert toute la journée et le soir, il vous faut du personnel, pour le roulement, vous ne pouvez pas faire bosser la même fille dix-huit heures par jour, pas vrai ? Et si ça vous coûte trop cher, vous pourrez en virer deux mais c'est vous qui devrez vous lever le matin. Le soir, il faut des filles. Deux mecs, c'est pas bon pour le commerce. Je sais qu'au jour d'aujourd'hui, c'est pas les pédés qui manquent mais vous comptez pas ouvrir un gay club, non ?

Il riait grassement, de toutes ses forces. Libero avait envie de lui répondre qu'il n'avait pas plus l'intention d'ouvrir un gay club qu'un bar à putes mais il craignit de le vexer.

— Tu as compris le truc ?

Libero acquiesça.

— Et surtout, faut pas les niquer les serveuses, hein ? Les gens, ils viennent pas claquer leur fric chez vous pour vous voir niquer les serveuses ! Vous, vous pouvez niquer les clientes, mais pas les serveuses.

Annie était bien d'accord, dans la vie, on pouvait se permettre des tas de choses mais, quand on tenait un bar, jamais, au grand jamais, il ne fallait niquer les serveuses. Matthieu et Libero assurèrent qu'une telle horreur ne leur avait jamais traversé l'esprit.

Ils eurent la surprise de constater dès le lendemain qu'Annie, dont l'efficacité était par ailleurs irréprochable, semblait avoir conservé de ses anciennes fonctions la curieuse habitude d'accueillir chaque représentant du sexe masculin qui poussait la porte du bar d'une caresse, furtive mais appuyée, sur les couilles. Nul n'échappait à la palpation. Elle s'approchait du nouvel arrivant, tout sourire, et lui faisait deux grosses bises claquantes sur les joues tandis que de la main gauche, comme si de rien n'était, elle explorait son entrejambe en repliant légèrement les doigts. Le premier à faire les frais de cette manie fut Virgile Ordioni, qui arrivait les bras chargés de charcuterie. Il devint cramoisi, eut un rire bref, et resta debout dans la salle sans trop savoir quoi faire. Matthieu et Libero avaient d'abord pensé à demander à Annie d'essayer de se montrer moins immédiatement amicale mais personne ne se plaignait, bien au contraire, les hommes du village faisaient plusieurs apparitions quotidiennes au bar, ils y venaient même pendant les heures habituellement creuses, les chasseurs abrégeaient leurs battues et Virgile mettait un point d'honneur à descendre tous les jours de la montagne, ne serait-ce que pour boire un café, si bien que Matthieu et Libero gardèrent le silence, non sans louer intérieurement la clairvoyante Annie dont l'immense sagesse avait percé à jour la simplicité de l'âme masculine. Tous les soirs, après la fermeture, ils partaient en campagne de recrutement et faisaient la tournée des soirées dans les campings et sur les plages. Ils recherchaient des étudiantes désargentées, condamnées aux joies monotones de la baignade, qui pourraient être intéressées par un travail saisonnier et ils n'eurent que l'embarras du choix. Avant la fin du mois de juillet, ils avaient trouvé quatre serveuses. Ils embauchèrent également Pierre-Emmanuel Colonna, qui venait d'avoir son bac et passait ses vacances d'été à jouer de la guitare pour un public familial acquis à sa cause mais restreint. Il n'eut pas à se repentir de la professionnalisation de son activité car non seulement il rencontra un vif succès auprès de la clientèle du bar – dont les exigences esthétiques étaient, il est vrai, si peu difficiles à satisfaire que même les sérénades braillées par un Virgile Ordioni ivre mort recueillaient des acclamations enthousiastes – mais il fut, dès le premier soir, récompensé de son talent par Annie qui le coinça après la fermeture contre le billard pour l'embrasser sur la bouche en le palpant vigoureusement avant de lui offrir une nuit dont la lubricité dépassa de très loin tous ses fantasmes adolescents les plus osés. Le lendemain matin, elle le réveilla en le couvrant de compliments et de baisers et lui servit, dans le lit même de ses exploits, un copieux petit-déjeuner qu'elle avait tendrement confectionné pour lui et qu'elle le regarda engloutir, l'œil perlé d'une larme si brillante et pure qu'elle en semblait presque maternelle. La vie jusque-là morne et paisible de Pierre-Emmanuel Colonna fut emportée par un torrent de voluptés et, quand il lui donnait son cachet, Libero lui disait parfois en riant,

— Avec l'été que je te fais passer, c'est toi qui devrais me payer !

À la fin de la saison, ils allèrent tous ensemble, avec Annie, les serveuses, Pierre-Emmanuel et même Gratas, dîner dans un grand restaurant pour ce qui devait être un repas de rétributions et d'adieux, suivi d'une nuit arrosée en boîte de nuit. Alors que les filles, à l'exception d'Annie, devaient repartir la semaine suivante, à Mulhouse, à Saint-Étienne, à Saragosse, Libero leur proposa de rester. Il ne savait pas s'il pourrait les garder tout l'hiver mais la saison avait été extrêmement lucrative et il pouvait se permettre de faire un essai. Il ne leur avoua cependant pas que son offre généreuse procédait avant tout d'une analyse bassement commerciale : il comptait sur la force d'attraction qu'exercerait la présence de quatre jeunes femmes célibataires sur une région dévastée par le froid et la misère sexuelle pour remplir le bar, même en plein hiver. Aucune d'entre elles ne refusa. Elles faisaient des études qu'elles n'aimaient pas et dont elles savaient qu'elles ne déboucheraient sur rien, ou elles y avaient déjà renoncé, elles n'osaient plus faire de projets, elles vivaient dans des villes sans joie dont la laideur les rendait tristes et où personne ne les attendait vraiment, elles savaient que la laideur finirait par s'installer bientôt dans leur âme pour s'emparer d'elles, elles y étaient résignées, et c'est peut-être la candeur de leur âme vaincue, le pôle magnétique de leur vulnérabilité qui avaient infailliblement guidé Libero et Matthieu vers chacune d'entre elles, Agnès, qui fumait des cigarettes roulées assise sur la plage, à l'écart des danseurs et du comptoir, Rym et Sarah, partageant un soda pendant l'élection d'une miss de camping, et Izaskun, que son petit copain venait de laisser tomber et de planter là, pendant leurs vacances, alors qu'elle parlait à peine français, et qui attendait avec son sac à dos, dans une boîte de nuit minable, que le jour finisse par se lever, et elles se moquaient bien de devoir partager à cinq l'appartement au-dessus du bar, elles se moquaient des matelas par terre et de la promiscuité car elles avaient passé au village les semaines les plus heureuses de leur existence, elles y avaient tissé un lien qu'elles ne voulaient pas encore briser, un lien incontestable dont Matthieu ressentit lui aussi la présence, ce soir-là, pendant le dîner. Pour la première fois depuis longtemps, il pensa à Leibniz et se réjouit de la place qui était maintenant la sienne dans le meilleur des mondes possibles et il eut presque envie de s'incliner devant la bonté de Dieu, le Seigneur des mondes, qui met chaque créature à sa place. Mais Dieu ne méritait aucune louange car Matthieu et Libero étaient les seuls démiurges de ce petit monde. Le démiurge n'est pas le Dieu créateur. Il ne sait même pas qu'il construit un monde, il fait une œuvre d'homme, pierre après pierre, et bientôt, sa création lui échappe et le dépasse et s'il ne la détruit pas, c'est elle qui le détruit.

Matthieu se réjouissait d'assister pour la première fois à la lente installation de l'hiver au lieu de le découvrir d'un seul coup en sortant de l'avion. Mais l'hiver ne s'installe pas lentement. Il arrive d'un seul coup. Le soleil est encore chaud dans le ciel trouble de l'été. Et puis les volets des dernières maisons se ferment les uns après les autres, on ne croise plus personne dans les rues du village, pendant deux ou trois jours, au crépuscule, un vent tiède souffle depuis la mer juste avant que la brume et le froid enveloppent les derniers vivants. La nuit, le givre fait briller la route, comme si elle était semée de pierres précieuses. Cette année-là, pour la première fois, l'hiver ne ressemblait pas tout à fait à la mort. Les touristes étaient partis mais le bar ne désemplissait pas. Les gens arrivaient de toute la région pour prendre l'apéritif, ils participaient aux veillées organisées le vendredi, quand Pierre-Emmanuel Colonna rentrait de sa semaine à l'université, et ils l'écoutaient chanter en regardant les filles assises près de la cheminée, Gratas s'occupait de faire griller la viande et Matthieu n'avait rien d'autre à faire qu'à savourer son bonheur en buvant l'alcool qui lui brûlait les veines. De temps en temps, quand elle avait décidé que c'était son tour, il couchait avec Virginie Susini.

Elle ne disait jamais rien. Elle se contentait de venir au bar et de s'installer à une table isolée où elle passait sa soirée à faire des réussites. À la fermeture, quand Annie faisait la caisse, elle était toujours là et elle fixait Matthieu sans rien dire et le suivait quand il rentrait chez lui. Il l'emmenait dans sa chambre en essayant de ne pas faire de bruit pour ne pas alerter son grand-père, il l'y emmenait à chaque fois. Il était pourtant extrêmement éprouvant de coucher avec Virginie, il fallait supporter son silence, la fixité de son regard pénétrant, il fallait supporter que rien de tout cela n'eût de sens concevable, et que rien ne justifiât le sentiment qu'il avait d'avoir été avili, mais cela valait mieux que de rentrer tout seul. Car la maison faisait maintenant peur à Matthieu, comme si elle s'était vidée, en même temps que de la chaleur de l'été, de toute trace d'humanité familière. Les portraits de ses arrière-grands-parents, qu'il avait toujours vus comme les dieux tutélaires veillant sur sa jeunesse, prenaient maintenant un aspect menaçant et il lui semblait parfois que ce n'étaient pas des portraits qu'on avait accrochés au mur, mais des cadavres, que le froid préservait encore de la décomposition, et dont n'émanait rien d'aimant ni de protecteur. La nuit, il entendait souvent des craquements qu'il espérait imaginaires, longs et tristes comme des soupirs, et les bruits bien réels que faisait son grand-père en errant dans l'obscurité, passant d'une pièce à l'autre en se cognant dans les meubles, et Matthieu se bouchait les oreilles et enfouissait sa tête sous son oreiller. S'il se levait, c'était encore pire. Il allumait la lumière et trouvait son grand-père dans le salon, le front appuyé contre la vitre glacée, tenant dans sa main une photo qu'il ne regardait même pas, ou dans la cuisine, debout, les yeux ouverts sur quelque chose d'invisible qui semblait le captiver et l'emplir d'horreur, et quand Matthieu lui demandait,

— Ça va ? Tu ne veux pas aller te recoucher ?

il ne répondait jamais, mais continuait à regarder droit devant lui, le poids d'une vieillesse de mille années accablant ses épaules fragiles, la mâchoire tremblante, accaparé par la vision qui le gardait hors d'atteinte, à l'abri de son étreinte jalouse et terrifiante. Matthieu repartait se coucher sans pouvoir dormir, et il était parfois tenté de prendre sa voiture mais où serait-il allé, à quatre heures du matin, en plein hiver ? Il n'y avait rien d'autre à faire qu'à attendre que la lumière de l'aube filtrât au travers des volets pour briser le maléfice. La maison redevenait alors amicale et doucement familière. Matthieu s'endormait. Tous les jours, il retardait tant qu'il pouvait le moment de quitter le bar et il essayait au moins de rentrer suffisamment saoul pour trouver le sommeil sans difficultés. Un soir, il osa demander aux filles,

— Je peux dormir avec vous, ce soir ? Vous me faites une place ?

et il ajouta bêtement,

— Je n'ai pas envie de dormir tout seul,

et les filles se mirent à rire, même Izaskun qui avait fait maintenant suffisamment de progrès en français pour reconnaître une niaiserie quand elle en entendait une, et elles se moquaient toutes de Matthieu en disant que, vraiment, il était d'une originalité époustouflante, et très touchant, et puis crédible, et Matthieu protesta de sa bonne foi en riant lui aussi jusqu'à ce qu'elles lui disent,

— Bien sûr ! Bien sûr que tu peux ! On te fera une place.

Il les suivit dans l'appartement. Il y avait des sacs et des piles de linge soigneusement alignées contre les murs. Il y brûlait de l'encens. Annie avait sa chambre, Rym et Sarah dormaient dans l'autre et Matthieu alla s'allonger sur le matelas qu'Agnès et Izaskun partageaient dans le salon et qu'elles avaient dissimulé derrière un paravent japonais. Elles le rejoignirent et le taquinèrent encore un peu et elles se blottirent contre lui. Izaskun murmura quelque chose en espagnol. Il les embrassa sur le front, l'une après l'autre, comme deux sœurs, et ils s'endormirent. Aucune menace ne pesait plus sur le sommeil de Matthieu, aucune ombre morbide. Quand il se réveilla, sa tête reposait contre les seins d'Izaskun et l'une de ses mains était posée sur les hanches d'Agnès. Il prit un café et rentra chez lui pour se doucher. Mais il n'y dormit plus jamais. Le lendemain, il se coucha avec Rym et Sarah et se partagea les nuits suivantes entre le matelas du salon et la chambre, et il dormait toujours du même sommeil chaste et paisible, comme si l'épée sacrée du chevalier était posée sur les draps, entre son corps et la tiédeur du corps des jeunes filles, et leur communiquait quelque chose de son éternelle pureté. Cette harmonie céleste n'était brisée que le week-end, quand Pierre-Emmanuel Colonna rejoignait Annie et qu'il fallait supporter leurs ébats sataniques. Leur endurance était inimaginable. Ils faisaient un bruit monstrueux, Pierre-Emmanuel ahanait et éclatait parfois d'un rire incongru, Annie poussait des hurlements et elle était, de surcroît, terriblement bavarde, annonçant à haute voix ce qu'elle avait envie de faire, et qu'on lui fît, et ce qu'on était précisément en train de lui faire et à quel point elle avait apprécié ce qu'on venait juste de lui faire, si bien qu'on avait l'impression d'assister à la retransmission radiophonique d'un match, un match obscène et interminable, commenté par un journaliste hystérique. Matthieu et les filles ne pouvaient pas dormir, Rym disait,

— Il est pas possible, ce mec, il faudrait le chronométrer, je vous jure,

et Pierre-Emmanuel commençait effectivement à se comporter avec l'arrogance d'un sportif de haut niveau, au bar, il touchait avec une fausse désinvolture les fesses d'Annie dès qu'elles passaient à sa portée, jouissant des regards d'adoration impuissante de la plèbe, qu'il sentait tournés vers lui, et il faisait des clins d'œil condescendants à Virgile Ordioni qui riait nerveusement en avalant sa salive et il lui tapait dans le dos, comme à un gamin qu'on gratifie de quelques miettes de rêve dont il devra bien se contenter parce que c'est là tout ce qu'il pourra jamais obtenir. Matthieu et les filles avaient parfois le sentiment d'être les témoins d'une performance qui ne visait au fond qu'à combler les attentes d'un public exigeant, et ils se mettaient alors à applaudir et à lancer des vivats, ce qui faisait brièvement sortir Pierre-Emmanuel, suant et furieux, de la chambre qu'il regagnait après les avoir fusillés du regard, ils avaient de terribles crises de fou rire et quand les fornicateurs, vaincus par la fatigue, permettaient au silence de reprendre ses droits, ils s'endormaient à leur tour, la lame nue de l'épée veillant sur la pureté de leur sommeil. Mais l'épée devait bien sûr leur être retirée et, un soir, elle le fut. Matthieu était allongé sur le côté, tourné vers Izaskun et, à nouveau, elle murmura quelque chose en espagnol, il l'entendit respirer lourdement, et il vit briller dans le noir des yeux et un sourire qui lui rappelèrent Judith Haller, mais c'était maintenant le monde qu'il s'était choisi, le monde qu'il bâtissait pierre après pierre, et rien ne pouvait le rendre coupable, il avança lentement la main et toucha la joue d'Izaskun qui baisa son poignet, puis sa bouche, et elle pressa son ventre contre lui et passa une jambe par-dessus les siennes pour qu'il vienne plus près, et elle l'embrassa de toutes ses forces, Matthieu se sentait éperdu de gratitude et de beauté, plongé dans les profondeurs limpides des eaux du baptême, les eaux saintes, les eaux d'éternelle pureté, et quand tout fut fini, il roula sur le dos, les yeux ouverts, Izaskun serrée contre lui et il vit qu'Agnès, appuyée sur son coude, les regardait. Il se tourna vers elle pour lui sourire et elle se pencha et l'embrassa longuement, elle recueillit du bout de la langue un peu de salive à la commissure de ses lèvres, puis, elle lui caressa légèrement les paupières du bout des doigts, comme on clôt pieusement les yeux d'un mort, jusqu'à ce qu'il s'endormît sous la caresse légère.

— Je te laisse t'occuper du bar, Annie. Tu as fait la caisse ?

Annie tendit la recette du jour à Matthieu qui la mit dans une petite boîte en fer. Il ouvrit un tiroir et en sortit un énorme pistolet automatique qu'il glissa dans sa ceinture dans un geste si travaillé qu'il semblait maintenant naturel.

— On peut y aller.

Aurélie le considéra avec stupeur.

— Tu as un pistolet maintenant ? Tu deviens complètement dingue ? Tu as quoi ? Des problèmes de virilité ? Et c'est ridicule, par-dessus le marché. Tu t'en rends compte ?

Matthieu ne se trouvait absolument pas ridicule, bien au contraire, mais il n'en dit rien et se contenta de donner les explications que sa sœur réclamait et devant lesquelles elle ne pourrait que s'incliner. Le bar tournait du feu de Dieu, il drainait toute la clientèle des villages alentour, jusqu'à trente ou quarante kilomètres, quelque chose d'incroyable, et Libero avait eu une idée de génie en demandant aux filles de rester, car c'étaient elles qui attiraient tant de monde, sans elles, personne ne serait assez dingue pour affronter la pluie et le verglas juste pour venir consommer ici, dans un village que rien ne distinguait des autres, un pastis qui avait exactement le même goût qu'ailleurs, c'était une évidence, et Vincent Leandri avait fait remarquer que les affaires qui marchent risquent de se faire braquer, surtout de nos jours, les gens étaient certes voleurs depuis la nuit des temps, mais on peut être un voleur sans être un enculé et, de nos jours, justement, les gens ne se contentaient plus d'être des voleurs, c'étaient en plus de gros enculés, ils étaient capables de passer la soirée à boire l'apéritif en rigolant, de te faire la bise en sortant et de revenir dix minutes plus tard avec une cagoule pour te foutre un flingue sous le nez et te piquer la caisse avant d'aller s'endormir du sommeil du juste, et même de revenir pour l'apéritif, comme si de rien n'était, alors qu'ils t'avaient balancé la veille deux coups de crosse dans les dents, et foutu deux baffes dans la gueule d'Annie en prime, juste comme ça, par pure enculerie, et Vincent ne parlait pas d'un risque éventuel mais de quelque chose d'inévitable, il n'y avait pas de suspense, ça allait arriver, tôt ou tard, c'était gravé dans le marbre, et c'est comme ça qu'il avait conseillé d'acheter un flingue, le plus vite possible. Aurélie leva les yeux au ciel.

— Et donc, si j'ai bien compris, maintenant vous ne risquez plus seulement de vous faire braquer. Vous pouvez aussi vous faire tuer ou tuer quelqu'un. C'est un raisonnement brillantissime. Bravo ! Et je te rappelle que Vincent Leandri est un ivrogne !

Mais elle n'avait pas compris, Matthieu n'avait aucune intention de tuer quelqu'un, pas plus que Libero, il fallait voir ça sous l'angle de la dissuasion, rien de plus, et lui-même avait mis du temps à saisir toute la subtilité des logiques de dissuasion, la première fois qu'il avait eu à convoyer la caisse, il était arrivé dans le bar vers sept heures du soir, le pistolet glissé dans le pantalon, c'était noir de monde, et il était passé derrière le comptoir où il s'était contorsionné discrètement pour mettre le pistolet dans un tiroir sans que personne le remarque, ce qui n'était pas si facile vu le nombre de types au comptoir et la taille du pistolet, et Libero l'avait regardé faire un moment et lui avait demandé,

— Je peux savoir ce que tu fous ?

et Matthieu lui avait répondu en chuchotant,

— Ben, je range le calibre dans le tiroir,

et Libero s'était mis à rire, et Vincent Leandri s'était mis à rire lui aussi, et ils avaient bien raison de se foutre de lui parce que, vraiment, à quoi ça sert d'avoir un flingue si personne ne sait que tu as un flingue ? le principe, au contraire, c'est que tout le monde le sache, comme ça, les braqueurs, tout enculés qu'ils soient, se disent qu'il vaut mieux aller braquer ailleurs, des types qui n'ont pas de flingue, et maintenant, le soir, quand c'était son tour, Matthieu sortait ostensiblement le pistolet de sa ceinture et le posait un moment sur le comptoir, bien en évidence, et il le rangeait tranquillement dans un tiroir d'où il le sortait à la fermeture, c'était ça la dissuasion, les braqueurs, c'étaient les Cubains, mettons, et Libero et lui, ils étaient Kennedy, la méthode avait fait ses preuves, mais Aurélie continuait à soupirer et elle aurait soupiré bien davantage si Matthieu lui avait avoué que, dissuasion ou pas, il était bien décidé à descendre comme un chien le premier salaud qui voudrait lui piquer la caisse.

— Et tu vas venir à la maison avec un flingue ?

Matthieu haussa les épaules.

— Bien sûr que non. On va déposer ça chez Libero.

Il n'avait aucune envie de dîner en famille. Ses parents ne venaient normalement jamais pour Noël. C'était la première fois. Et ils avaient insisté pour qu'Aurélie les rejoigne, ce que l'homme qui partageait de moins en moins sa vie avait eu du mal à accepter. Depuis l'été, il n'avait passé avec elle que quelques jours en octobre. Au lieu de rentrer en France dès qu'elle l'avait pu, elle avait préféré accepter l'invitation de ses collègues algériens qui lui avaient fait visiter les sites de Djemila et de Tipaza, en prétendant qu'elle ne voulait pas leur faire d'affront, car c'était désormais à des gens qu'elle connaissait à peine qu'elle réservait sa prévenance et ses attentions et non à lui, qui partageait pourtant sa vie depuis des années et devait se contenter du peu de temps qu'elle lui accordait, avec une désinvolture blessante, et il lui fallait encore supporter qu'elle ampute leur vie commune de ces journées supplémentaires qu'elle allait passer au village, en famille, sans même lui proposer de l'accompagner, comme s'il allait de soi qu'il ne faisait pas partie de sa famille. Et ce soir-là, à table, elle ne pensait pas à lui en évoquant la richesse exceptionnelle d'un site laissé à l'abandon depuis des années, les trophées, la cuirasse ceinte du long manteau de bronze, les têtes de Gorgone disparues au fronton des fontaines de marbre, les colonnades des basiliques, et elle parlait de la gentillesse de ses collègues algériens dont elle veillait à ne pas écorcher les noms, Meziane Karadja, Lydia Dahmani, Souad Bouziane, Massinissa Guermat, de leur dévouement, du talent et de la foi avec lesquels ils faisaient surgir de cet amas de pierres muettes, pour les enfants des écoles primaires, une cité pleine de vie et, sous les yeux des enfants, l'herbe jaune se couvrait de dallages et de mosaïques, le vieux roi numide passait sur son grand cheval mélancolique en rêvant au baiser perdu de Sophonisbe et, des siècles plus tard, au bout de la longue nuit païenne, les fidèles ressuscités se pressaient les uns contre les autres et contre les chancels en attendant que s'élevât parmi eux, dans la nef lumineuse, la voix de l'évêque qui les aimait,

— Écoutez-moi, vous qui m'êtes chers,

mais Matthieu n'entendait aucune voix, il regardait sa montre et pensait aux bras vivants d'Izaskun, à ceux d'Agnès, tout ce qu'il ne voulait partager avec personne, et quand le dessert fut déposé sur la table, il annonça qu'il n'avait plus faim et qu'il allait partir. Mais son père lui dit,

— Non, s'il te plaît, reste encore un peu, ce ne sera pas long,

et Matthieu resta assis, il but un café, aida à débarrasser la table et quand son grand-père et sa mère furent partis se coucher, il se leva à son tour, mais son père répéta,

— Non, s'il te plaît, il faut que je vous parle, à toi et ta sœur, asseyez-vous,

et il commença à leur parler avec beaucoup de calme et de gravité, mais sans les regarder en face, il se sentait fatigué depuis quelque temps, il avait fait des analyses et il était malade, assez gravement malade, disait-il et cela, Matthieu l'entendait parfaitement mais il ne comprenait pas pourquoi le visage d'Aurélie se décomposait au fur et à mesure que son père parlait et leur donnait les détails du protocole qu'il allait devoir suivre et qui serait efficace, sans aucun doute, un protocole éprouvé, presque banal, et pourtant Aurélie enfouissait son visage dans ses mains et répétait,

— Papa, mon Dieu, papa,

alors qu'il ne pouvait pas être si malade que ça, il le disait lui-même, et Matthieu se leva pour se servir un whisky, il essayait de se concentrer en vain sur les paroles de son père, mais les mains d'Izaskun se posaient sur ses oreilles pour l'empêcher d'entendre, et les mains d'Agnès effleuraient ses paupières, comme on clôt les yeux d'un mort, pour l'empêcher de voir, et malgré tous ses efforts, il ne pouvait ni voir ni entendre son père, Jacques Antonetti, expliquer comme il pouvait à ses enfants qu'il allait peut-être mourir bientôt car son discours n'avait pas sa place dans le meilleur des mondes possibles, le monde du triomphe et de l'insouciance, et il ne pouvait y acquérir le moindre sens intelligible, ce n'était qu'une rumeur désagréable, les remous inquiétants d'un fleuve souterrain dont la puissance lointaine ne pouvait menacer l'ordre de ce monde parfait, dans lequel il n'y avait que le bar, le Nouvel An qui approchait, un ami qui était comme un frère, et des sœurs dont le baiser incestueux exhalait des parfums de suave rédemption, il y avait une éternité de quiétude et de beauté, que rien ne pouvait troubler, si bien que quand Jacques le serra dans ses bras et l'embrassa avec émotion en lui disant,

— S'il te plaît, ne t'inquiète pas, tout ira bien,

il ne put que lui répondre en toute franchise qu'il ne s'inquiétait pas, car il savait que tout irait bien et son père lui dit,

— Oui,

fier, peut-être, de ce fils qui avait la délicatesse extrême de lui épargner la douloureuse solennité de son chagrin, et il embrassa Aurélie et alla se coucher. Matthieu restait là, au milieu du salon, comme vaguement tracassé par quelque chose d'incertain, il se servit un autre whisky, à côté d'Aurélie qui retenait ses larmes, mais il se rappela soudainement qu'il pouvait maintenant partir et il posa son verre. Aurélie leva les yeux vers lui.

— Tu te rends compte ?

— Je me rends compte de quoi ?

— Papa risque de mourir.

— Ce n'est pas ce que j'ai entendu. Pas du tout.

Il arriva au bar vers minuit. Deux types de Sartène buvaient une bouteille de vodka au comptoir, ils avaient du mal à tenir debout mais ils draguaient lourdement Annie qui les traitait de cochons et les punissait de temps en temps d'une petite caresse réprobatrice sur les couilles et minaudait en encaissant des pourboires colossaux. Gratas passait le balai dans un coin. Toute seule à une table, Virginie Susini faisait une réussite. Matthieu alla s'asseoir en face d'elle. Elle ne s'interrompit pas une seconde et ne lui jeta pas un regard. Un instant auparavant, Matthieu ne ressentait pas le besoin de s'épancher auprès de quiconque mais elle était là, et elle était peut-être la seule personne au monde à qui l'on ne pouvait pas regretter d'avoir fait des confidences car il était probable qu'elle ne les entendait même pas. Il se pencha vers elle et lui dit subitement,

— Il paraît que mon père risque de mourir.

Virginie hocha la tête et elle posa la dame de carreau sous le roi de trèfle avant de murmurer,

— Je connais bien la mort. Je suis née veuve.

Matthieu eut un geste d'agacement. Les dingues le fatiguaient. Il avait envie de voir Izaskun. Il considéra Virginie avec une petite moue de fatuité.

— Ce n'est pas moi que tu attends, au moins ?

Virginie tira une autre carte.

— Non, ce n'est pas toi. C'est lui que j'attends, mais il ne le sait pas encore,

et elle pointa son doigt vers Bernard Gratas qui en demeura comme pétrifié, le balai à la main.

Et maintenant, elle guettait par le hublot l'apparition des Baléares qui lui offraient la promesse d'une consolation prochaine, celle du retour dans la douceur d'un pays natal qui ne l'aurait pas vue naître, et son cœur se mettait à battre plus fort jusqu'à ce qu'elle aperçoive la ligne grise des côtes africaines et sache qu'elle était enfin de retour chez elle. Car c'était en France qu'elle se sentait maintenant en exil, comme si le fait de ne plus respirer quotidiennement le même air que ses compatriotes lui avait rendu leurs préoccupations incompréhensibles, et vains les propos qu'ils lui tenaient, une mystérieuse frontière invisible avait été tracée autour de son corps, une frontière de verre transparent qu'elle n'avait ni le pouvoir ni le désir de franchir. Il lui fallait faire des efforts harassants pour suivre la conversation la plus banale et, malgré ses efforts, elle n'y parvenait pas, elle devait constamment demander à ses interlocuteurs de répéter ce qu'ils venaient de dire, à moins qu'elle ne renonce à leur répondre pour se retirer dans le silence de sa frontière invisible, et l'homme qui bientôt ne partagerait plus sa vie en était constamment blessé, il lui faisait des reproches dont elle ne se défendait même plus car elle avait renoncé à lutter contre sa propre froideur, contre la désinvolture et l'injustice qui s'étaient installées dans son mauvais cœur. Ce n'était qu'en arrivant à l'aéroport d'Alger, puis dans les locaux de l'université, et plus encore à Annaba, qu'elle renouait avec la bonté. Elle supportait joyeusement l'attente interminable aux guichets de la police des frontières, les embouteillages et les décharges à ciel ouvert, les coupures d'eau, les contrôles d'identité aux barrages, et la laideur stalinienne du grand hôtel d'État dans lequel était logée toute l'équipe à Annaba, avec ses chambres délabrées donnant sur des couloirs déserts, lui semblait presque émouvante. Elle ne se plaignait de rien, son acquiescement était total car chaque monde est comme un homme, il forme un tout dans lequel il est impossible de puiser à sa guise, et c'est comme un tout qu'il faut le rejeter ou l'accepter, les feuilles et le fruit, la paille et le blé, la bassesse et la grâce. Dans un écrin de poussière et de crasse reposaient le grand ciel de la baie, la basilique d'Augustin, et le joyau d'une inépuisable générosité dont l'éclat rejaillissait sur la poussière et sur la crasse. Tous les quinze jours, elle repartait pourtant vers Paris pour passer le week-end auprès de son père. Quand elle leur avait annoncé qu'il était malade, tous les collègues d'Aurélie l'avaient entourée de leur prévenance. On lui offrait des kilos de gâteaux pour son père, et des prières de guérison. Massinissa Guermat insistait pour l'accompagner à l'aéroport, et il l'attendait à son retour. Au début du mois d'avril, elle était assise avec sa mère près du lit d'hôpital dans lequel son père tentait de reprendre des forces après son traitement. Il s'était rasé la tête pour ne pas voir ses cheveux tomber. Il demanda un verre d'eau qu'Aurélie lui servit. Il le lâcha alors qu'il le portait à ses lèvres, ses yeux se révulsèrent et il s'évanouit. Claudie se jeta sur lui en criant,

— Jacques !

et il sembla revenir à lui, il regardait sa femme et sa fille en prononçant des paroles incohérentes, il agrippa le poignet d'Aurélie et la tira vers lui, il avait des yeux d'animal à l'agonie, pleins de peur et de nuit, et il essayait de parler sans y parvenir, il y mettait pourtant toute son énergie, laissant échapper un chaos de syllabes, ou parfois des mots entiers, arrachés aux phrases que son corps malade retenait cruellement prisonnières, des mots qui parodiaient le langage et ne renvoyaient qu'à la désolation d'un silence monstrueux, bien plus vieux que le monde, et il retomba sur son oreiller, la main toujours crispée autour du poignet de sa fille. Un médecin et des infirmières arrivèrent et dirent à Claudie et Aurélie de sortir. Elles attendirent dans le couloir et le médecin vint les voir, il leur parla d'insuffisance rénale et d'urémie et quand elles lui demandèrent ce qui allait se passer, il leur dit qu'il n'en savait rien et qu'il fallait attendre et il les laissa. Claudie ferma les yeux.

— Je crois qu'il faut que tu appelles ton frère. Moi, je ne peux pas.

Aurélie sortit et, quand Matthieu décrocha, elle entendit des rires et de la musique. Au début, il ne sembla pas comprendre ce qu'elle lui disait. Le traitement se passait bien, sa mère le lui assurait à chaque fois qu'elle l'avait au téléphone, il n'y avait aucune inquiétude à avoir. Elle ferma les yeux.

— Matthieu, écoute-moi : il est méconnaissable. Ce n'est plus lui. Est-ce que tu entends ce que je dis ?

Matthieu resta silencieux. Elle entendait la musique, les voix qui s'interpellaient, encore des rires. Il finit par murmurer,

— Je vais me préparer. Je vais venir.

Le lendemain, contre toute attente, Jacques Antonetti allait beaucoup mieux. Il n'avait gardé aucun souvenir de ce qui s'était passé la veille. Il essayait de plaisanter. Il s'excusait auprès d'Aurélie et Claudie de la peur qu'il leur avait faite. Le médecin pensait qu'il était plus prudent de le maintenir hospitalisé. À l'hôpital, on pourrait réagir avec toute la célérité nécessaire, en cas de nouvel incident. Si Claudie le désirait, on installerait pour elle un lit de camp dans la chambre de son mari et elle répondit que ce serait parfait. Aurélie rappela Matthieu qui fut soulagé et lui reprocha presque d'avoir dressé un tableau apocalyptique d'une situation parfaitement maîtrisée. Elle ne se donna pas la peine de répondre.

— Alors, tu arrives quand ?

Matthieu lui fit remarquer qu'il n'y avait plus d'urgence et qu'il était très occupé par les préparatifs de la saison et puis s'il débarquait comme ça, brutalement, ça risquait d'inquiéter son père, pour rien, il croirait peut-être à une visite d'adieu, il fallait ménager son moral et Aurélie fut incapable de se contrôler plus longtemps, elle lui dit qu'il n'était qu'un petit con répugnant d'égoïsme, un petit con aveugle qui espérait au fond de lui que son aveuglement finirait par lui valoir l'absolution, mais jamais il ne serait absous de ce qu'il était en train de faire, et s'il devait l'être, ce ne serait pas par elle, elle n'était pas leur mère qui persistait à voir en lui un chérubin qu'il fallait préserver coûte que coûte d'une douloureuse confrontation avec les horreurs de l'existence, comme si c'était lui qui était au fond le plus à plaindre, comme si sa sensibilité à fleur de peau, l'exquise sensibilité qui était apparemment son privilège exclusif, le dispensait d'accomplir ses devoirs les plus fondamentaux, les plus sacrés, elle ne voulait même pas lui parler d'amour et de compassion, c'étaient des mots qu'il était incapable de comprendre, mais comprenait-il au moins en quoi consistaient ses devoirs, comprenait-il que s'il s'entêtait à vouloir leur échapper, il demeurerait pour toujours la petite merde en laquelle il s'était métamorphosé en un temps record, avec un talent qui forçait l'admiration, elle était prête à le reconnaître, et personne ne pourrait plus l'aider car il serait trop tard, et les jérémiades lui seraient interdites, comme le confort des regrets, elle y veillerait, à moins qu'il ne soit devenu si pourri de bonne conscience qu'il n'éprouve même pas la tentation confortable des regrets, mais s'il demeurait encore en lui quelque chose du frère qu'elle aimait, il allait se forcer à extraire la tête de son nombril et à ouvrir les yeux, et elle ne voulait entendre parler ni d'inconscience, ni d'aveuglement, ni de sensibilité, fût-elle exquise et à fleur de peau, il y a des choses terribles, et il faut y faire face parce que c'est ce que font les hommes, c'est dans cette confrontation qu'ils éprouvent leur humanité, et s'en rendent dignes, et il allait se rendre compte qu'il lui était impossible, absolument impossible, d'une impossibilité radicale et définitive, de laisser mourir son père sans lui faire l'aumône d'une seule visite, même si cette visite devait être infiniment moins agréable que ce qui faisait le quotidien de sa vie de con, la bringue, et le cul, et la bêtise crasse dans laquelle il se vautrait comme un porc dans son fumier, et quand il s'en serait rendu compte, il prendrait l'avion sans attendre une minute et elle avait si peur de devoir le bannir de sa vie si elle entendait la réponse qu'il allait lui faire maintenant, elle avait si peur de devoir le perdre à jamais, idiote, incorrigible idiote qu'elle était, qu'elle préférait ne pas avoir à entendre sa réponse et elle lui raccrocha au nez. Elle rejoignit Claudie. Elle tremblait encore de rage.

— J'ai eu ton fils au téléphone. Tu aurais mieux fait de...

Claudie la regardait, totalement perdue et sans défense, et Aurélie se félicita de ne pas avoir achevé la phrase que lui dictaient les injonctions brutales de son mauvais cœur auquel elle cessa de résister dès qu'elle se retrouva seule aux côtés de l'homme qui partageait sa vie pour la dernière fois. Elle se réfugia derrière sa frontière de verre et refusa de partager avec lui, en cette dernière nuit, son corps, sa colère ou sa peine. À Annaba, Massinissa Guermat lui demanda comment s'était passé son séjour et si son père allait mieux, et elle répondit que tout s'était bien passé, mais tandis qu'il la ramenait vers l'immense désert silencieux de l'hôtel d'État, elle capitula devant la vague de tristesse qui la submergeait, et elle secoua la tête, non, tout ne s'était pas bien passé, et elle avait cru que son père était en train de mourir, sous ses yeux, il ne pouvait pas parler, il agrippait son poignet, de toutes ses forces, pour ne pas être aspiré par les sables mouvants qui lui remplissaient déjà la bouche et le faisaient suffoquer, et elle ne pouvait rien faire, parce qu'on est seul quand on meurt, oh, comme on est seul quand on meurt, et en face de cette solitude, elle avait seulement eu envie de fuir, rien d'autre, elle aurait voulu que son père lâche son poignet pour la laisser s'enfuir, et qu'il cesse de la contraindre à affronter cette solitude que les vivants ne pouvaient pas comprendre, et pendant un long moment, elle n'avait plus ressenti ni compassion ni douleur, mais seulement une peur panique dont le souvenir lui faisait maintenant horreur et Massinissa lui dit,

— Je ne peux pas te laisser comme ça,

et elle se tourna vers lui, la gorge sèche, soudainement fébrile et vivante, et elle lui dit d'une voix impérieuse, sans baisser les yeux,

— Ne me laisse pas, alors. Ne me laisse pas,

et elle se jeta à son cou, sans réfléchir, et elle sentit avec un immense soulagement les bras de Massinissa se refermer sur elle. Il se leva avant l'aube afin qu'aucun membre de l'équipe ni aucun employé de l'hôtel ne le vît regagner sa chambre. Aurélie attendit le lever du jour. Elle prit un bain, et elle resta longuement étendue dans l'eau jaunâtre, sans penser à rien, et elle en sortit brusquement pour appeler l'homme qu'elle allait quitter. Il ne voulait pas y croire, il demandait des explications et, de guerre lasse, puisqu'il lui fallait une explication, Aurélie lui annonça qu'elle avait rencontré quelqu'un, mais cette révélation provoqua de nouvelles questions, où ? qui ? depuis combien de temps ? et Aurélie répétait que ça ne servait à rien parce qu'au fond, cette rencontre n'avait rien à voir avec ce qu'elle était en train de faire, il devait bien le comprendre, mais il insistait et elle finit par lui dire,

— Hier soir. Depuis hier soir.

Il ne se taisait pas, il avait maintenant des sanglots dans la voix, pourquoi le lui annonçait-elle si vite ? pourquoi n'avait-elle pas attendu ? ce pouvait être une passade dont il aurait pu ne rien savoir, elle ne pouvait pas être sûre, et maintenant c'était irréparable, pourquoi lui avouait-elle quelque chose qui ne signifiait peut-être rien, pourquoi était-elle si cruelle ? Aurélie pensa qu'elle lui devait la vérité.

— Parce que c'est ça que je veux : je veux que ce soit irréparable.

Ils accompagnaient Gavina Pintus, deux heures avant l'aube, à l'office des ténèbres du Jeudi saint. Ils étaient restés debout toute la nuit, au bar, pour ne pas avoir à se réveiller, ils s'étaient lavé les dents dans l'évier du comptoir et mâchaient maintenant des chewing-gums à la menthe fraîche pour que leurs haleines alcoolisées ne troublent pas la piété de cette nuit de deuil. Pour le lundi de Pâques, ils avaient prévu d'organiser un grand pique-nique devant le bar, avec de la musique et, le lendemain, ils partiraient. Libero accompagnerait Matthieu à Paris, ils iraient voir son père, et ils en profiteraient pour prendre quelques jours de vacances à Barcelone, ils avaient réservé un hôtel, sans lésiner sur les moyens, ils pouvaient se le permettre, ils joindraient l'utile à l'agréable et Jacques Antonetti n'aurait pas l'impression qu'ils étaient venus prendre congé d'un mourant. En cette nuit du Jeudi saint, ils s'avançaient donc en tenant le bras de Gavina Pintus, ils se tenaient aussi droits que possible, le vent humide les glaçait, l'emprise de l'alcool devenait moins perceptible, et derrière eux marchaient Pierre-Emmanuel Colonna, avec les amis de Corte qui l'avaient accompagné pour chanter la messe avant d'animer avec lui la fête du lundi, et ils essayaient eux aussi de dessaouler dans l'urgence, du mieux qu'ils pouvaient. L'église était pleine de fidèles ensommeillés. L'électricité avait été coupée. La lumière ne provenait que des grands cierges allumés devant l'autel. L'odeur de l'encens rappelait à Matthieu celle de la peau d'Izaskun. Il se signa en réprimant un hoquet acide. Pierre-Emmanuel et ses amis s'installèrent dans un coin de l'abside, le texte des Psaumes à la main. Ils se raclaient la gorge et se parlaient à l'oreille en se dandinant. Le prêtre annonça que, pour le salut du monde, l'obscurité allait bientôt envahir le monde qui s'apprêtait à supplicier son rédempteur en larmes, dans les jardins de Gethsémani. Les chanteurs entonnèrent le premier psaume,

Sa tente est à Salem et Sa demeure à Sion,

leurs voix emplissaient l'église et elles étaient merveilleusement claires. Le visage de Pierre-Emmanuel exprimait un très vif soulagement, il ferma les yeux pour se concentrer sur son chant, et le prêtre s'avança et il éteignit un cierge. On entendit le bruit des crécelles et celui des pieds qui tapaient sur le bois des prie-Dieu pour porter témoignage de la fin du monde, qui sombrait dans les ténèbres,

la terre est secouée avec tous ses habitants,

et Gavina Pintus levait maintenant vers la croix des yeux de petite fille apeurée et, au premier rang, Virgile Ordioni tordait nerveusement sa casquette dans ses mains, comme si tout le village devait effectivement être englouti, le grincement des crécelles se confondait maintenant avec celui des fondations ébranlées, les pierres de l'église tremblèrent jusqu'à ce que cesse la cacophonie et que les chants s'élèvent à nouveau,

que jubilent les os que Tu as broyés,

et, l'un après l'autre, le prêtre éteignait les cierges. Il ne resta bientôt plus qu'une seule flamme vacillante, Gavina Pintus prit la main de son fils qui réprima un bâillement sacrilège, Matthieu espérait que la fin du monde ne serait pas aussi assommante, il avait froid et sommeil, dans des draps si proches, le corps d'Izaskun irradiait inutilement de chaleur, et le prêtre leva son long mouchoir de cuivre et l'obscurité fut totale.

Les forces du juste seront élevées.

Le prêtre parla encore dans les ténèbres et il dit que le chrétien ne craignait pas les ténèbres depuis lesquelles il parlait en cet instant car il savait qu'elles ne signifiaient pas la victoire du néant, la lumière qui s'éteignait n'était que la lumière des hommes, et les ténèbres s'étendaient pour que puisse enfin apparaître la lumière divine dont elles étaient le berceau, comme le sacrifice de l'Agneau annonçait le Fils ressuscité dans la gloire du Père, le Verbe éternel, l'origine de toutes choses, et les ténèbres n'étaient pas la mort, elles ne portaient pas seulement témoignage de la fin mais aussi des origines lumineuses car c'était en vérité un seul et même témoignage. La lumière laiteuse de l'aube filtra sous les portes closes. Après les avoir bénies, le prêtre libéra ses ouailles dont une partie non négligeable se précipita au bar pour se remettre de ses émotions. Libero prépara des cafés et posa une bouteille de whisky sur le comptoir pour ceux d l'émotion aurait été vraiment trop intense. Pierre-Emmanuel s'inquiétait de la qualité de sa prestation, et Libero lui assura que c'était très bien, même si, il fallait le reconnaître, les chants en polyphonies étaient globalement chiants et difficilement supportables à haute dose. Virgile Ordioni, qui tendait après avoir bu son café une main timide vers le whisky, exprima son désaccord,

— C'était très beau ! Magnifique ! Il y comprend rien, Libero !

Pierre-Emmanuel lui tapota le dos en riant,

— Et toi ? Qu'est-ce que tu y comprends ?

mais Virgile ne se vexa pas, il sembla réfléchir un instant et dit,

— C'est sûr. J'y comprends pas grand-chose. Mais c'était beau,

et il s'ensuivit un débat animé sur la polyphonie, les compétences musicales des uns et des autres, les crécelles, les cierges et les curés, débat salué par l'opportune apparition d'une autre bouteille de whisky si bien que, quand Izaskun et Sarah arrivèrent à l'heure de l'ouverture, elles durent mettre tout le monde dehors, sous la pluie qui commençait à tomber. Mais la journée du lundi se leva sur un printemps radieux. Pierre-Emmanuel et les Cortenais installaient leur sono en plein air et accordaient leurs instruments. Matthieu buvait un verre de rosé au soleil et il regardait Izaskun dresser les tables et il levait son verre dans sa direction. Elle lui répondait d'un petit signe de la main, l'esquisse d'un baiser. Elle était sa sœur, sa tendre sœur incestueuse. Il regardait un Cortenais lui débiter des fadaises dans l'oreille, elle riait, mais il n'était pas jaloux, il se moquait de ce qu'elle pouvait faire avec ce type, elle était sa sœur, non son épouse, et elle lui reviendrait, personne ne pouvait rien lui prendre, et il jouissait d'un terrible sentiment de supériorité comme s'il avait été élevé à des hauteurs où personne ne pouvait plus lui faire injure. Il s'étonnait que son bonheur fût à ce point inaltérable et il buvait son vin dans la tiédeur du soleil de printemps. Le lendemain, il se mit en route avec Libero. Ils confièrent les clés du bar à Bernard Gratas, ils embrassèrent les filles et ils partirent pour Ajaccio en faisant des signes d'adieu et en criant,

— Soyez sages ! Ne nous coulez pas la baraque, surtout ! À la semaine prochaine !

Sur la route, ils parlèrent de ce qu'ils allaient faire à Barcelone, ils avaient besoin de se détendre, ils l'avaient bien mérité, et ils arrivèrent à Campo dell'Oro avec une heure et demie d'avance. Ils s'installèrent au bar de l'aéroport et burent une bière, puis deux, et leur conversation se tarit lentement. Ils finirent par se taire complètement. Les passagers du vol pour Paris étaient appelés en salle d'embarquement mais il restait une demi-heure, rien ne pressait, et ils commandèrent une dernière bière. Matthieu regardait les pistes et il avait la gorge sèche. Son ventre gargouillait désagréablement. Il prit brusquement conscience que cela faisait maintenant près de dix mois qu'il ne s'était pas éloigné du village à plus de quinze kilomètres. Ajaccio était au bout du monde. Jamais il n'était resté aussi longtemps au même endroit. La perspective de s'envoler pour Paris lui semblait maintenant redoutable, pour ne rien dire de Barcelone, si lointaine qu'elle en devenait dépourvue de réalité, c'était un lieu de brumes et de légendes, l'équivalent terrestre de la planète Mars. Matthieu se rendait parfaitement compte que sa peur était grotesque mais il était incapable de lutter contre elle. Il regardait Libero qui fixait son verre, les dents serrées, et il vit qu'ils partageaient la même peur, ils n'étaient pas des dieux, mais seulement des démiurges, et c'était le monde qu'ils avaient créé qui les tenait maintenant sous l'autorité de son règne tyrannique, une voix insistante annonça que les passagers Libero Pintus et Matthieu Antonetti étaient attendus d'urgence avant la fermeture des portes, et ils surent que le monde qu'ils avaient créé ne les laisserait pas partir, ils restèrent assis, et ce fut le dernier appel, et quand l'avion eut décollé, ils se levèrent en silence, prirent leurs sacs et regagnèrent le monde auquel ils appartenaient.

“Où iras-tu en dehors du monde ?”

C'est une aube étincelante dont la lumière brutale éblouit la mémoire des hommes, et leurs souvenirs douloureux sont confiés au reflux des ténèbres qui se dissipent en les emportant avec elles. Tout en haut de la coupole de Saint-Isaac, le Christ pantocrator tient entre ses longues mains blanches l'ogive d'un obus qui n'a pas explosé et flotte dans les airs comme une plume de colombe. Il faut vivre et se hâter d'oublier, il faut laisser la lumière estomper le contour des tombeaux. Autour de l'abbaye du Mont-Cassin, les longues tresses des goumiers surgissent de terre comme des fleurs exotiques que caresse tendrement une douce brise d'été, le long des plages de Lettonie, les vagues grises de la Baltique ont poli les os des enfants enfouis dans le sable pour façonner d'étranges bijoux d'ambre fossile, dans les sous-bois ensoleillés, d'où Sulamith ne reviendra pas vers le roi qui l'appelle en vain, vole le pollen de ses cheveux de cendre, la terre verdoyante s'est gorgée de tissus et de chairs en lambeaux, elle est pleine de cadavres et repose tout entière sur la voûte de leurs épaules brisées mais l'aube étincelante s'est levée et, dans l'éclat de sa lumière, les cadavres oubliés ne sont plus que l'humus fertile du monde nouveau. Comment Marcel aurait-il conservé le souvenir des morts alors qu'après la lente gestation de la guerre, ce monde ouvrait pour la première fois devant lui les lignes de fuite de ses chemins lumineux ? Tous les vivants étaient convoqués à la tâche exaltante de la reconstruction et Marcel était parmi eux, saisi de vertige devant l'infinité des possibles, prêt à prendre la route, les yeux blessés par la lumière, tout entier tourné vers un avenir qui avait enfin effacé la mort. Le monde nouveau recrutait ses commis pour les envoyer puiser dans les colonies la matière nécessaire à l'érection de son corps avide et glorieux, et ils extrayaient des mines, des jungles et des hauts plateaux tout ce que réclamait son insatiable voracité. Avant de partir vers l'AOF, là où coulaient jadis les rivières du Sud, Marcel songea que sa nouvelle dignité de futur fonctionnaire exigeait qu'il se choisît une épouse. Il y avait au village plusieurs filles à marier et Marcel demanda à son frère, qui attendait dans l'oisiveté d'être rappelé en Indochine, d'enquêter discrètement auprès de leurs familles pour savoir lesquelles seraient susceptibles d'accueillir favorablement une éventuelle demande. Jean-Baptiste vint rendre compte dès le lendemain du succès de sa mission, en précisant qu'un excès de zèle avait malheureusement réduit à néant toutes ses velléités de discrétion. Il avait commencé son enquête au bar en discutant avec le frère aîné d'une jeune fille de bonne famille. Ils s'étaient mutuellement inspiré la plus vive sympathie, au point de se saouler ensemble et de tomber dans les bras l'un de l'autre quand Jean-Baptiste, pris d'une inspiration subite, lui avait officiellement demandé la main de sa sœur au nom de Marcel, lequel se trouvait de fait dans une situation d'autant plus délicate que, dans sa joie, le frère de la jeune fille s'était empressé d'aller annoncer la bonne nouvelle à ses parents, flanqué d'un Jean-Baptiste au comble de l'émotion. Il n'était pas question de prendre le risque d'offenser gravement ces gens en arguant d'un malentendu, l'humiliation pouvait les rendre violents et Marcel dut accepter la jeune épouse que lui offraient conjointement le destin et l'excessive sociabilité de son frère. Elle avait dix-sept ans et sa beauté timide consola Marcel jusqu'à ce qu'il se fût rendu compte, après quelques propos échangés, qu'elle était d'une stupidité presque angélique car elle s'émerveillait de tout et posait sur son nouveau mari un regard si éperdu d'admiration que Marcel oscillait constamment entre la béatitude et l'agacement tandis que le bateau qui les emmenait en Afrique passait sous le rocher de Gibraltar et fendait les eaux de l'Atlantique. Accoudée au bastingage, elle offrait son innocence à des vents inconnus et goûtait du bout de la langue le sel des embruns glacés qui la faisaient rire et frissonner si fort qu'elle se réfugiait soudain dans les bras de Marcel et il ne savait pas s'il devait la sermonner de se donner ainsi en spectacle ou la remercier de ses élans enfantins, il hésitait un instant, embarrassé et gauche, mais finissait toujours par la serrer de toutes ses forces contre lui, sans crainte ni dégoût, car elle avait le corps tiède et diaphane d'un ange d'avant la chute, miraculeusement surgi d'une époque qui ignorait encore les miasmes du péché et les épidémies. À travers les hublots, les rives lointaines devenaient de plus en plus sauvages, de grands arbres tordus se penchaient sur les flots, à l'embouchure de fleuves immenses qui traçaient sur les eaux vertes de l'océan de longues arabesques de boue, la chaleur devenait étouffante et Marcel passait presque toutes ses journées dans sa cabine, au lit avec sa femme, il la laissait se mettre à genoux sur son visage, les mains appuyées contre la cloison, haletante et rieuse derrière le voile de ses cheveux défaits, il la laissait le regarder et passer les mains sur lui avec une curiosité d'écolière, les sourcils froncés, touchant chaque partie de son corps comme pour s'assurer qu'il n'était pas un fantôme qui s'évanouirait bientôt dans la lumière, il la laissait s'installer dans sa nudité, impudiquement assise en tailleur au bout du lit, et il rampait vers elle pour poser la tête sur ses cuisses et s'endormir un instant, libéré de la putain de Marseille, car les caresses de sa jeune épouse avaient extrait de ses veines les dernières gouttes du venin qui l'infectait et il n'avait plus peur de rien. Les corps cessaient d'être des foyers de sanie au fond desquels veillaient d'obscurs démons maléfiques et Marcel aurait été parfaitement heureux si l'inquiétude ne l'avait pas submergé à chaque fois qu'il devait paraître à la table du bord avec sa femme, il avait constamment peur que quelqu'un lui posât une question anodine à laquelle elle répondrait si bêtement que toute la tablée en demeurerait silencieuse à moins qu'elle ne répondît pas du tout et ouvrît une bouche toute ronde de surprise avant de baisser les yeux en gloussant et il était au supplice à chaque fois qu'elle lui parlait en public, il avait honte qu'elle s'adressât à lui en corse, ce patois ridicule dont il n'arrivait pas à chasser les sonorités insupportables, et il était en même temps soulagé parce que personne ne pouvait comprendre ce qu'elle disait et il attendait le moment où il pourrait refermer la porte de leur cabine sur une intimité qui seule venait à bout de ses rancœurs et de ses tourments. Il prit ses fonctions de rédacteur dans les bureaux de l'administration centrale d'une grande ville d'Afrique qui ressemblait davantage à un invraisemblable amas de taudis et de boue qu'à une ville qu'il aurait pu rêver, car le monde persistait à contrarier ses rêves au moment même où ils devenaient réels. Dans les rues, les parfums étaient si violents que même les fruits mûrs et les fleurs semblaient exhaler des suavités délétères de putréfaction, il réprimait constamment des nausées en déambulant dans la dignité de son costume de lin au milieu des hommes et des bêtes parmi lesquels flottaient des effluves de chairs exotiques et sauvages portés par le froissement des tissus de couleur et la proximité des indigènes lui répugnait chaque jour davantage, il n'était pas venu leur apporter une civilisation qu'il n'avait lui-même connue que de loin et par ouï-dire dans la voix de ses maîtres mais encaisser une dette ancienne dont le paiement avait été si longtemps différé, il était venu pour vivre la vie qu'il méritait et qui n'avait cessé de se dérober à son étreinte. Il ne plaçait pas ses espoirs en Dieu mais dans les statuts de la fonction publique dont la bonne nouvelle venait d'être annoncée à tous les enfants de la République et qui lui permettrait, sans passer par les bancs de l'école coloniale, de s'élever autant qu'il le pourrait dans la hiérarchie pour s'extraire enfin des limbes qu'il n'avait pu quitter tout à fait en naissant. Il travaillait à la préparation des concours en même temps qu'à se débarrasser des stigmates hideux de son passé, sa posture, sa démarche, son accent surtout, et il s'astreignait à rendre sa parole atone et limpide, comme s'il avait été élevé dans le parc d'un manoir de Touraine, il affectait de prononcer son nom de famille en accentuant la dernière syllabe, il contrôlait scrupuleusement la fermeture des voyelles mais, à son désespoir, il dut se résigner à continuer de rouler les *r* car il ne produisit jamais, quand il essayait de les grasseyer, qu'un pitoyable raclement de gorge, comme un ronronnement de félin ou la plainte rauque d'un agonisant. Jeanne-Marie lui écrivait pour lui annoncer le départ d'André Degorce pour l'Indochine dans un régiment parachutiste, elle lui parlait de ses craintes, du bonheur de la naissance de sa petite fille, elle lui faisait le compte rendu minutieux du déclin de leurs parents, et chacune de ses lettres le renvoyait au péché inexpiable de ses origines bien qu'il se sentît maintenant aussi à l'aise dans les bureaux que dans les dîners des attachés d'administration, où il se rendait seul de peur que la présence de son épouse ne brisât le charme fragile qui l'arrachait à lui-même et elle l'attendait chez eux, bien à l'abri dans la bienheureuse citadelle de son innocence, joyeuse et inchangée. Elle refusait d'apprendre quoi que ce soit, s'obstinant à parler corse et à aider leur bonne malinké dans ses tâches ménagères malgré les remontrances de Marcel qu'elle faisait taire en l'accablant de baisers et de caresses et elle le déshabillait debout avant de l'entraîner vers le lit où il basculait les bras en croix tandis qu'elle refermait sur eux les voiles de la moustiquaire. Il la regardait, il soufflait doucement sur ses seins humides, il l'embrassait au pli de l'aine, sur la bouche, l'aile du nez, les paupières et il fut un jour surpris de la rondeur du ventre sur lequel il reposait. Elle lui dit qu'elle avait un peu grossi, ses robes la serraient un peu, elle mangeait trop, elle le savait, et il lui demanda en rougissant à quand remontaient ses dernières règles mais elle ne savait pas, elle n'y avait pas pris garde et il la prit dans ses bras, il la prit et la souleva tout entière avec sa stupidité angélique, son rire et les échos de la langue barbare dont il ne voulait plus qu'elle fût aussi la sienne, et il se laissa porter par une joie absurde, une joie animale dont il importait peu qu'il ne la comprît pas car elle ne demandait pas à être comprise et ne réclamait pas même qu'on lui cherchât un sens. Elle était enceinte de six mois quand Marcel, après sa réussite à un concours interne, fut promu administrateur d'une subdivision perdue à la circonférence d'un cercle lointain qui ne relevait pas de l'enfer mais seulement du cadastre colonial. Il régnait désormais sur un immense territoire dont l'humidité n'était peuplée que d'insectes, de Nègres, de plantes sauvages et de fauves. Le drapeau français pendouillait au bout d'une hampe comme une guenille détrempée au fronton de sa résidence, un peu à l'écart d'un misérable village de cases construites sur les rives d'un fleuve boueux, le long duquel les enfants guidaient au bout d'une corde de longues cohortes de vieillards aveugles qui défilaient sous un ciel du même blanc laiteux que leurs yeux morts. Il avait pour voisins un gendarme dont le penchant pour la boisson s'affirmait chaque jour un peu plus, un médecin d'ores et déjà alcoolique et un missionnaire qui disait la messe en latin devant des femmes aux seins nus et tentait de fasciner un auditoire récalcitrant en répétant l'histoire du Dieu qui s'était fait homme avant de mourir en esclave pour leur salut à tous. Marcel s'efforçait avec eux de ne pas laisser s'éteindre le feu de la civilisation dont ils étaient les seules vestales et les dîners leur étaient servis par des boys vêtus en majordomes qui posaient la vaisselle étincelante sur des nappes blanches impeccablement repassées et il laissait sa femme, si ronde et souriante, s'installer avec eux autour de la table parce que, dans la farce qu'il se savait en train de jouer avec ses pauvres comparses, les conventions sociales, les impairs et le ridicule ne signifiaient plus rien et qu'il ne voulait plus se priver en leur nom de celle qui était désormais la source unique de sa joie. Sans elle, l'amertume de sa réussite sociale lui aurait été intolérable et il aurait mille fois préféré être le dixième ou le vingtième à Rome plutôt que de gouverner ainsi un royaume de désolation barbare des confins de l'Empire, mais personne ne lui offrirait jamais une telle alternative car Rome n'existait plus, elle avait été détruite depuis bien longtemps, ne demeuraient plus que des royaumes plus barbares les uns que les autres, auxquels il était impossible d'échapper, et celui qui fuyait sa misère ne pouvait rien espérer d'autre que d'exercer son pouvoir inutile sur des hommes plus misérables que lui, comme le faisait maintenant Marcel, avec l'acharnement impitoyable de ceux qui ont connu la misère et n'en supportent plus le spectacle écœurant, et ne cessent d'en tirer vengeance dans la chair de ceux qui leur ressemblent trop. Peut-être chaque monde n'est-il que le reflet déformé de tous les autres, un miroir lointain dans lequel les ordures semblent briller comme du diamant, peut-être n'y a-t-il qu'un seul monde en dehors duquel il est impossible de fuir car les lignes de ses chemins illusoires se rejoignent toutes ici même, près du lit dans lequel agonise la jeune épouse de Marcel, une semaine après avoir mis au monde leur fils Jacques. Elle s'est d'abord plainte de maux de ventre et une fièvre l'a saisie qu'il a été impossible de faire baisser. Au bout de quelques jours, à court d'antibiotiques, le médecin a essayé de concentrer l'infection sur un abcès de fixation. Il a soulevé le drap trempé, il s'est penché sur la jeune femme malade et a remonté la chemise de nuit sur ses jambes, Marcel s'est penché à son tour, il a senti l'odeur chaude du whisky dans l'haleine du médecin et il a regardé les mains tremblantes piquer la cuisse de sa femme pour y injecter l'essence de térébenthine, ne laissant sur la peau qu'un minuscule point rouge que Marcel n'a pas quitté des yeux pendant des journées et des nuits entières, guettant le moment où toutes les veines du corps de son épouse y draineraient le poison qui la tuait et il l'a suppliée de lutter comme si elle avait le pouvoir de contraindre, par la seule magie de la volonté, son corps sans forces à la sauver mais la peau blanche de la cuisse est restée terriblement saine et souple, aucun abcès ne s'y est jamais formé et Marcel sait qu'elle va mourir, il le sait, et il espère, en embrassant son front brûlant, qu'elle, au moins, ne le saura jamais, il espère que sa stupidité angélique la préservera jusqu'au bout mais il se trompe, car la stupidité ne préserve pas même du désespoir, et elle pleure dans sa fièvre, elle réclame son bébé, elle le caresse et l'embrasse et elle s'accroche au cou de Marcel en disant qu'elle ne veut pas, non, elle ne veut pas les laisser, elle veut vivre encore mais elle s'endort un moment et se réveille en pleurant, elle a peur de la nuit, rien ne peut la consoler, et Marcel la tient serrée dans ses bras sans pouvoir l'arracher au courant qui l'emporte irrésistiblement vers la nuit qui lui fait si peur, elle est épuisée de frissons et de larmes, et elle se laisse aller au courant qui l'emporte et la rejette enfin, immobile et froide, dans le suaire des draps froissés. Son visage est déformé par la terreur mais c'est celui d'un mannequin de cire dans lequel Marcel ne reconnaît pas la jeune femme rieuse dont il aimait l'innocence et l'impudeur, et il est un instant submergé par l'espoir que quelque chose d'elle, un souffle frêle et délicat, comme une âme légère, ait quitté le scandale de ce corps raidi pour trouver refuge dans un lieu de lumière, de douceur et de paix, mais il sait que ce n'est pas vrai, il ne reste d'elle qu'un cadavre dont les formes se délitent déjà, et c'est sur cette relique que Marcel laisse à son tour couler ses larmes. Pendant l'enterrement, il pense à sa famille qui ignore encore tout de son deuil, il aimerait que sa mère, rompue aux œuvres de la mort, soit à ses côtés plutôt que le gendarme et le médecin qui titube sous la pluie tropicale tandis que la voix désabusée du missionnaire égrène des psaumes au-dessus de la fosse inondée. Quand la pierre est posée, il reste un long moment seul et rentre retrouver son fils qui tète en fermant les yeux le sein noir de la bonne malinké. Il déteste ce bébé et il déteste ce pays, il leur voue une haine implacable parce qu'ils se sont ligués pour lui prendre sa femme, il refuse d'écouter le médecin qui se plaint du manque d'antibiotiques car il a besoin de coupables et ne se soucie pas de justice, pas plus qu'il ne se soucie de logique en craignant soudain que ce pays détesté ne lui enlève l'enfant détesté qu'il ne veut pas perdre à son tour même s'il lui reproche constamment d'être né au lieu de demeurer dans les limbes d'où personne n'avait souhaité sa venue, alors que le moindre interstice laissé entre les voiles de la moustiquaire du berceau plonge Marcel dans l'angoisse mortelle de retrouver son fils dévoré par les insectes monstrueux qu'abritent les profondeurs étouffantes de la nuit africaine, il y brille tant d'yeux phosphorescents, tant de choses s'y pressent, dans un grouillement informe, qui convoitent la chair tendre de Jacques pour y enfoncer leurs mandibules venimeuses ou y déposer leurs larves et Marcel pressent qu'il ne saura pas le défendre, il écrit une longue lettre à Jeanne-Marie, ma chère sœur, je ne saurai pas le défendre contre l'horreur épouvantable de ces climats de bêtes grouillantes, je ne veux pas qu'il meure comme sa mère et je ne veux pas qu'il grandisse sans elle, permets à Jacques de retrouver une mère et de gagner une sœur avec ta petite Claudie, je mesure ce que je te demande, je t'en prie, vers qui pourrais-je me tourner si ce n'est vers toi, qui n'as jamais monnayé ta tendresse et, quand Jeanne-Marie a donné son accord ému, il attend qu'un congé lui permette de rentrer en France pour lui confier Jacques. Il pleure en repartant seul pour l'Afrique, de culpabilité, de chagrin peut-être, il ne le sait pas, mais il ressent au fond de son âme le soulagement immense et trouble d'avoir réussi d'un seul coup à sauver son fils et à s'en débarrasser. De retour dans son purgatoire, il reprit le long périple monotone des tournées en brousse, passant dans les villages où l'attendaient, rangés par ordre de taille, des enfants hébétés auxquels il attribuait une vague date de naissance pour mettre à jour les registres d'état civil, et il rendait la justice avec des gestes las de dieu déchu, notant minutieusement le détail de conflits ineptes dont les plaignants lui faisaient le récit désespéré en peul, en soussou, en maninka et dans toutes les langues de misère et de barbarie dont il ne supportait plus les sonorités bien qu'il se forçât à écouter jusqu'au bout pour rendre des sentences dont l'équité rétablirait le silence bienfaisant auquel il aspirait et, pendant la récolte du coton, il fustigeait impitoyablement la cupidité des négociants belges qui trafiquaient leurs balances, rejetant avec mépris les propositions de pots-de-vin, non qu'il se souciât de l'intérêt des cultivateurs nègres, mais parce que la probité constituait son unique quartier de noblesse, il tenait avec une rigueur inflexible les comptes de la collecte des capitations et, à la tombée du jour, assis aux côtés du médecin, il regrettait que son ulcère ne lui permît pas de se saouler avec lui pour échapper aux menaces de la nuit. Jeanne-Marie lui écrivait que Jacques grandissait et pensait beaucoup à lui, elle était sans nouvelles d'André Degorce après la chute de Diên Biên Phu mais elle avait confiance parce que Dieu n'aurait pas la cruauté de lui enlever deux fois son époux, l'Empire s'effondrait lentement, Jeanne-Marie écrivait, le Viêt-minh a libéré André, je suis si heureuse, Jacques pense à toi et t'embrasse, il grandit si vite, André va bientôt partir pour l'Algérie, et Marcel enviait la vie aventureuse de son beau-frère qui contrastait si douloureusement avec le vide de la sienne, il ne voyait pas l'Empire s'effondrer, il n'entendait même pas les craquements sourds de ses fondements ébranlés car il était tout entier concentré sur l'effondrement de son propre corps que l'Afrique contaminait lentement de sa pourriture vivace, il regardait la tombe de sa femme sur laquelle poussaient des plantes qu'il tranchait à grands coups de machette rageurs, et il savait qu'il la rejoindrait bientôt car le démon de son ulcère, nourri d'humidité torride, le torturait avec une vigueur inégalée comme si son intuition démoniaque lui permettait de sentir qu'à l'extérieur, dans la moiteur de l'air corrompu, des alliés sans nombre se tenaient à l'affût pour l'aider à parachever sa lente entreprise de démolition et Marcel gardait les yeux grands ouverts sur la nuit, il entendait le cri des proies, il entendait les corps de sommeilleux égarés glisser sur le sable tandis que les crocodiles les traînaient lentement vers leurs charniers aquatiques, il entendait le brusque claquement des mâchoires qui soulevaient des gerbes de boue et de sang et, dans son propre corps bouleversé, il sentait les organes s'ébranler lourdement, en se frottant les uns aux autres, pour entamer une lente rotation sur l'orbite du démon qui dressait la main au fond de son ventre, immobile comme un soleil noir, des fleurs poussaient la pointe de leurs bourgeons dans les alvéoles de ses bronches, leurs racines en filaments couraient dans ses veines jusqu'aux extrémités de ses doigts, des guerres terribles se livraient dans le royaume barbare qu'était devenu son corps, avec leurs cris de victoire sauvages, leurs vaincus massacrés, tout un peuple d'assassins, et Marcel scrutait ses vomissements, ses urines, ses selles, avec la peur panique d'y découvrir des grappes dorées de larves, d'araignées, de crabes ou de couleuvres, et il attendait de mourir seul, transformé en pourriture avant même de mourir. Il tenait le journal intime de sa maladie dont il notait scrupuleusement tous les symptômes, les difficultés à respirer, les rougeurs mystérieuses sur le coude et sur l'aine, les diarrhées et les constipations, la décoloration inquiétante de la verge, les démangeaisons, la soif, il pensait à son fils qu'il ne reverrait jamais, il pensait à sa jeune épouse, à ses cuisses autour de son visage, et elle lui semblait alors si vivante qu'il la désirait avec passion, et il notait alors, délire, priapisme, nécrophilie, nostalgie létale, avant de s'approcher sans bruit de la bonne malinké qui époussetait les meubles dans la salle, de soulever sa robe et de la prendre sans dire un mot, les bras battant comme des ailes de grand charognard penché sur un cadavre imperturbable, et il ne pouvait s'arrêter que quand la honte de la jouissance le rejetait en arrière au dernier moment, appuyé contre le mur, le pantalon sur les chevilles, les yeux fermés d'horreur et le sexe secoué de soubresauts ignobles que la bonne malinké faisait cesser en le nettoyant comme un enfant, avec un torchon trempé dans l'eau tiède, qu'elle utilisait ensuite pour essuyer la flaque de semence grise sur le carrelage. Mais il restait vivant car les puissances qui le harcelaient étaient celles de la vie, non de la mort, une vie primitive et bornée qui engendrait indifféremment les fleurs, les parasites et la vermine, une vie suintante de sécrétions organiques et la pensée elle-même suintait du cerveau humain comme d'une plaie qui suppure, il n'y avait pas d'âme mais seulement des fluides régis par la loi d'une mécanique complexe, féconde, insensée, les concrétions jaunâtres de la bile calcifiée, la gelée rose des caillots dans les artères, la sueur, les remords, les sanglots et la bave. Une nuit, Marcel entendit du bruit sur sa terrasse, le bruit des chaises renversées, des coups erratiques frappés à la porte et, quand il l'ouvrit, il trouva le médecin appuyé contre le chambranle, il tremblait de fièvre et disait, aidez-moi, je vous en prie, je ne vois plus rien, je suis aveugle, aidez-moi et, quand il leva les yeux vers Marcel, des vers jaillirent de ses paupières pour couler le long de ses joues comme des larmes. Marcel l'installa dans son propre lit pendant les dix jours que dura le traitement de la loase, il l'écouta gémir à chaque fois que les draps frôlaient les œdèmes douloureux de ses jambes et de ses bras déformés, il l'aida à supporter les atroces effets pervers de la Notezine, malgré l'horreur que lui inspirait ce corps qu'un monstrueux excès de vie avait fait enfler et qui menaçait à tout instant d'éclater, avec ses prurits, ses nodules, ses abcès que la putréfaction des filaires sous la peau avait fait éclore, ses yeux rouges et gonflés, aveugles, comme ceux d'un fœtus. Quand le médecin fut rétabli, Marcel fut soulagé de le voir partir. Il demanda à la bonne malinké de désinfecter la maison de fond en comble pour retrouver l'univers clinique et aseptisé qu'exigeait l'épanouissement de ses angoisses, il se lavait les mains à l'alcool, frottait le dessous de ses ongles jusqu'au sang, notait encore les symptômes, tumeurs naissantes, septicémie, nécroses, bien que la seule maladie dont il souffrît fût une effroyable solitude qu'il tenta de rompre en envoyant des lettres quotidiennes à son beau-frère, en Algérie, il lui fallait confier la certitude de sa disparition prochaine, et s'épancher sans retenue pour renouer au moins l'esquisse d'une relation humaine, même si l'unique interlocuteur qu'il s'était choisi et auquel il vouait une admiration fanatique ne lui répondait jamais car, au fond des caves algéroises, le capitaine André Degorce, reclus et sans voix, s'enfonçait lentement dans l'abîme de sa propre solitude avec la seule compagnie de ses mains trempées de sang. Marcel rentra au village pour enterrer son père, puis sa mère, et il ne les pleura pas parce que la mort avait toujours été leur vocation et il était presque heureux qu'ils aient enfin pu répondre à un appel qu'ils avaient dû feindre si longtemps de ne pas entendre. Il revit ses sœurs aînées qu'il ne reconnut pas, Jean-Baptiste et Jeanne-Marie, et son fils qu'il n'osait plus serrer dans ses bras et qui n'en manifestait par ailleurs nulle envie. Il lui demanda s'il se portait bien et Jacques lui répondit oui et il lui dit encore qu'il vivait loin de lui mais qu'il l'aimait et Jacques, à nouveau, répondit oui et ils se turent jusqu'au moment du départ de Marcel pour l'Afrique où l'attendait sa promotion au poste de gouverneur de cercle. Il prit congé du médecin, du missionnaire et du gendarme, qui avaient été les compagnons transparents de tant d'années inutiles et il partit, accompagné de la bonne malinké, en emportant avec lui les restes de sa femme qu'il fit ensevelir près de sa nouvelle maison. Six mois plus tard, sans que Marcel se fût aperçu de quoi que ce soit, l'Empire n'existait plus. Est-ce ainsi que meurent les empires, sans même qu'un frémissement se fasse entendre ? Il ne s'est rien passé, l'Empire n'existe plus et Marcel sait, en prenant possession de son bureau dans un ministère parisien, qu'il en va de même de sa propre vie dans laquelle, pour toujours, il ne se sera rien passé. Tous les sentiers lumineux se sont éteints, un par un, le lieutenant-colonel André Degorce, après sa dernière défaite, revient dans les bras de sa femme chercher la rédemption qui ne lui sera jamais accordée et les hommes retombent lourdement dans le champ de gravité de leur pays déchu. Le temps s'est allégé de l'espoir et il file, imperceptible et vide, au rythme toujours plus rapide des enterrements qui rappellent Marcel au village, comme si sa seule mission constante en ce monde était de porter les siens en terre, les uns après les autres, sa femme repose maintenant en Corse, mais elle est morte depuis si longtemps qu'il craint de n'avoir mis au tombeau que quelques morceaux de bois mort recouverts de glaise, et meurent ses sœurs aînées, les unes après les autres, dans l'ordre exact fixé par la sagesse de l'état civil, à Paris, la saveur de la solitude se fait peu à peu insipide, la bruine froide a chassé les insectes qui pondent leurs œufs sous la peau des paupières translucides, dans la lumière blanche du soleil, et scellé la mâchoire des crocodiles, c'en est fini des luttes épiques, il faut se contenter d'ennemis méprisables, la grippe, les rhumatismes, la dégénérescence, les courants d'air dans le grand appartement du 8e arrondissement où Jacques a refusé de venir vivre avec lui, sans vouloir en donner la raison parce qu'il ne peut pas avouer qu'il nourrit une passion infâme pour celle qu'il devrait considérer comme sa sœur. Jacques a quinze ans,

Claudie, dix-sept, et Jeanne-Marie pleure à chaudes larmes en racontant qu'elle les a surpris horriblement nus et enlacés dans la chambre de leur enfance, elle se reproche sa naïveté, son aveuglement coupable, elle savait combien ils s'aimaient d'un amour qu'elle croyait tendre et fraternel, combien ils répugnaient à être séparés, mais elle n'y a vu aucun mal, au contraire, elle en était sottement émue alors qu'elle réchauffait en son sein deux bêtes lubriques, tout est de sa faute, elle préfère ne pas savoir quand cette horreur a commencé, et ils n'ont même pas honte de leur immoralité, Claudie s'est dressée devant elle, toute nue et moite, et lui a jeté un regard de défi que rien n'a pu faire baisser, ni les remontrances, ni les coups, Jacques a été envoyé dans une pension catholique, et Claudie n'adresse plus la parole à ses parents, elle dit qu'elle les déteste, le temps n'entame pas sa détermination incestueuse, une correspondance, ignoble et secrète, est interceptée, Claudie ne leur fait grâce de rien, pendant des années, elle leur impose quotidiennement ses larmes, ses cris, son silence hystérique, Jacques s'enfuit de la pension dans laquelle on le ramène de force pour le contraindre à une pénitence inutile jusqu'à ce que le général en retraite André Degorce, qui n'en est plus à une défaite près, brandisse une fois de plus le drapeau de la capitulation et fasse accepter à tous l'inévitable abjection de ce mariage que la naissance d'Aurélie finit par sanctifier, après quelques années que les époux voraces ont égoïstement consacrées à se repaître de leur propre chair car l'égoïsme le plus acharné ne peut échapper au cycle immuable de la naissance et de la mort. Marcel se penche sur les berceaux d'Aurélie, de Matthieu, et sur la bouche sombre des caveaux qui se referme sur Jean-Baptiste, et sur Jeanne-Marie, toujours dans l'ordre exact fixé par la sagesse de l'état civil, et sur les mains sanglantes et froides du général André Degorce dont le cœur avait cessé de battre depuis si longtemps. Marcel est seul et l'heure de la retraite vient lui confirmer ce qu'il avait peut-être toujours su, il ne s'est rien passé, les lignes de fuite sont des cercles secrets dont la trajectoire se referme inexorablement et qui le ramènent vers le village détesté de son enfance avec, dans sa valise, posée sur ses costumes de laine et de lin, une vieille photo, prise pendant l'été 1918, qui a fixé dans le sel d'argent, aux côtés de sa mère et de ses frères et sœurs, le visage énigmatique de l'absence. Le temps est lourd, maintenant, presque immobile. La nuit, Marcel promène sa vieillesse d'une pièce à l'autre de la maison vide à la recherche de la jeune femme stupide et rieuse qu'il ne se console pas d'avoir perdue mais il ne trouve que son père qui l'attend, debout dans la cuisine. Aucun son ne s'échappe jamais de ses lèvres blanches, et il regarde son dernier fils à travers ses cils brûlés, il le regarde comme pour lui reprocher tant de rendez-vous manqués avec des mondes qui n'existent plus et Marcel s'affaisse sous le poids du reproche, il sait que personne ne renouvellera sa jeunesse et il ne le désire pas parce que cela ne servirait à rien. À présent qu'il a porté les siens en terre, l'un après l'autre, la mission harassante qu'il a accomplie doit échoir à un autre, et il attend que sa santé toujours chancelante et inaltérable soit finalement vaincue car, dans l'ordre fixé par l'état civil, son tour est maintenant venu de marcher seul au tombeau.

“Car Dieu n’a fait pour toi
qu’un monde périssable”

Dans ce village, les morts marchent seuls vers la tombe – non pas seuls, en vérité, mais soutenus par des mains étrangères, ce qui revient au même, et il est donc juste de dire que Jacques Antonetti prit seul le chemin du caveau tandis que sa famille regroupée à la sortie de l'église sous le soleil de juin recevait les condoléances loin de lui, car la douleur, l'indifférence et la compassion sont des manifestations de la vie, dont le spectacle offensant doit être désormais caché au défunt. Jacques Antonetti était mort trois jours plus tôt dans un hôpital parisien et l'avion qui le ramenait chez lui s'était posé le matin même à Ajaccio, à l'heure où son fils Matthieu quittait la couche des serveuses et se dirigeait vers le bar pour se faire un café. Libero était déjà derrière le comptoir, en costume, il mettait en marche le percolateur et Matthieu lui sut gré de s'être levé si tôt pour lui tenir compagnie.

— Tu as dormi ici ?

Matthieu acquiesça en baissant la tête. Il aurait voulu pouvoir passer les deux dernières nuits chez lui, il en avait eu l'intention, l'avant-veille, il avait même essayé, mais son grand-père restait assis sans rien dire et ne semblait même pas s'apercevoir de sa présence, si bien que Matthieu s'était également assis dans un fauteuil, le regard fixé sur les persiennes fermées, et quand la nuit avait commencé à tomber, il s'était levé pour allumer une lampe mais son grand-père avait dit,

— Non,

sans bouger, sans élever la voix, simplement dit,

— Non,

et il avait ajouté,

— Ce n'est pas l'ordre des choses,

et fait un signe de la main que Matthieu s'était empressé d'interpréter comme une permission de prendre congé, ou peut-être même quelque chose de plus définitif et violent, une invitation impérieuse à s'éloigner, sur-le-champ, d'une solitude qui réclamait seulement le silence de la nuit et Matthieu avait obéi, il avait libéré son grand-père de sa présence importune, en même temps qu'il se libérait lui-même, et il n'était pas retourné le voir. Libero servit un café à Matthieu et vint s'asseoir près de lui en le détaillant de la tête aux pieds.

— Tu vas y aller comme ça ? Tu vas aller comme ça à l'enterrement de ton père ?

Matthieu portait un jean propre et une chemise noire qu'il avait approximativement repassée. Il examina à son tour sa tenue d'un air perplexe.

— Ça ne va pas ?

Libero s'approcha de lui et le prit par le cou.

— Non, ça ne va pas. Tu ne peux pas enterrer ton père comme ça. Tu sens la sueur. Tu sens le parfum. Tu pues. Tu as une gueule pas possible. On va aller chez ma mère, et tu vas commencer par prendre une douche, et puis tu vas te raser, et on va te chercher un costume, et une cravate, on trouvera quelque chose qui t'ira, et tout se passera bien, tu feras tout ce que tu dois faire, tout se passera bien. Je resterai avec toi. Ça ira, tu verras, je te promets.

Matthieu sentit les larmes lui monter aux yeux mais elles s'arrêtèrent juste au bord de ses paupières sèches et hésitèrent un instant avant de refluer brusquement. Il reprit sa respiration et serra brièvement Libero contre lui avant de le suivre et, deux heures plus tard, alors que le corbillard, suivi d'une interminable file de voitures, entrait dans le village au son du glas, Matthieu, aux côtés de son grand-père, attendait debout devant l'église, égaré dans un costume bien trop grand pour lui dont il avait pour consigne de ne déboutonner la veste sous aucun prétexte, afin de dissimuler les plis disgracieux du pantalon qu'une ceinture maintenait suspendu au-dessus de son nombril. Libero lui fit un signe du pouce, tout va bien, et soudain, au moment où le cercueil était extrait du corbillard, une foule de gens avides sortirent des voitures et se précipitèrent sur lui pour l'embrasser dans une épouvantable cohue, des femmes qu'il ne connaissait pas le serraient contre les dentelles noires de leurs robes de deuil, ses joues étaient poisseuses de larmes étrangères, il sentait des odeurs violentes d'eau de Cologne, de crèmes de jour et de parfums bon marché, et il voyait, du coin de l'œil, d'autres inconnus jouer des coudes pour se jeter sur Marcel, un employé des pompes funèbres cria,

— Après ! Après, les condoléances ! Après la cérémonie !

mais personne ne l'écoutait, la foule avait coincé Matthieu contre le mur de l'église et l'accablait de son étreinte moite, il avait le tournis, il aperçut sa mère qui tendait les bras vers lui, et l'appelait, mais elle fut happée par des moissons de mains impitoyables qui voulaient toucher la chair meurtrie du deuil, Aurélie pleurait près du corbillard, submergée à son tour par une vague compacte de compassion vorace, les lèvres humides tendues bien avant le contact du baiser, les dents en or luisantes de salive sous les lèvres retroussées, et Matthieu avait l'impression de se dissoudre dans un potage de chaleur humaine, sa chemise était trempée de sueur, la pression de la ceinture sur son ventre était douloureuse, et tout s'apaisa d'un seul coup, la foule s'écarta pour laisser passer le mort que portaient Virgile Ordioni, Vincent Leandri et quatre frères de Libero, et Matthieu le suivit, au bras de sa mère qui l'avait enfin retrouvé, marchant aux côtés de son grand-père et d'Aurélie et, en pénétrant dans l'église, il ferma les yeux sous la caresse délicieuse de l'air frais tandis que, derrière l'autel, Pierre-Emmanuel Colonna et les Cortenais chantaient le Requiem. Pendant toute la cérémonie, Matthieu partit à la recherche de son propre chagrin mais il ne le trouva nulle part, il regardait le bois ouvragé du cercueil, le visage momifié de son grand-père, il entendait les sanglots mêlés de sa mère et d'Aurélie et rien ne se passait, il avait beau fermer les yeux et s'astreindre à des pensées tristes, son chagrin ne répondait à aucun de ses appels, il le sentait parfois passer tout près de lui, sa lèvre en tremblait légèrement et, au moment où il pensait que les larmes allaient enfin se mettre à couler, toutes les sources humides de son corps se tarissaient et il redevenait brusquement impassible et sec, dressé devant l'autel comme un arbre mort. Le prêtre agita une dernière fois l'encensoir autour du cercueil, des voix implorantes s'élevaient dans l'église,

Libère-moi, Seigneur, de la mort éternelle,

et le cercueil s'ébranla lentement vers la sortie, Matthieu le suivait en sachant qu'il marchait derrière son père pour la dernière fois mais il ne pleura pas, il déposa un baiser sur le crucifix avec une piété qu'il aurait voulu ne pas feindre mais ni son père ni Dieu ne l'attendaient dans la croix, et il ne sentit rien d'autre que le contact du métal froid sur ses lèvres. Les portes du corbillard se refermèrent. Claudie murmura dans ses larmes le prénom de son mari, qui était aussi le prénom du frère de son enfance, et Jacques Antonetti entama sa marche vers le tombeau et il était seul, conformément à la loi de ce village, car les étrangers qui cheminaient près de lui au rythme de son silence ne comptaient pour rien. Les condoléances furent interminables. Matthieu répondait machinalement,

— Merci,

et il esquissait un sourire à l'approche des visages connus. Virginie Susini était rayonnante et elle l'enlaça si étroitement qu'il put sentir les lentes pulsations de son cœur rassasié de mort. Les serveuses attendaient, assises sur un mur, que la foule se soit éclaircie pour s'approcher à leur tour et Matthieu dut faire un effort pour ne pas embrasser Izaskun sur la bouche. Au bout d'une demi-heure, il restait une trentaine de personnes qui se retrouvèrent chez les Antonetti où les sœurs de Libero servirent du café, de l'eau-de-vie et des gâteaux. Les conversations commencèrent à voix basse, puis de plus en plus fort, on entendit un petit rire et, bientôt, la vie fut de retour, impitoyable et gaie, comme il arrive toujours, même si les morts ne doivent pas le savoir. Matthieu sortit dans le jardin avec un petit verre d'eau-de-vie. Dans un coin, Virgile Ordioni pissait contre un tas de bûches. Par-dessus son épaule, il tourna vers Matthieu ses gros yeux rougis. Il était tout penaud.

— C'est que je voulais pas demander où sont les cabinets. Pour ta mère, tu vois.

Matthieu lui donna sa bénédiction d'un clin d'œil. Il redoutait le moment inévitable où tout le monde serait parti. Il avait peur de se retrouver en tête à tête avec les siens, dont il ne pouvait même pas partager le chagrin parce que le sien demeurait introuvable. Au coucher du soleil, ils iraient tous ensemble au cimetière, la pierre du caveau serait scellée, ils mettraient de l'ordre dans les couronnes et les bouquets de fleurs, et c'est tout ce que Matthieu verrait, des fleurs et de la pierre, rien d'autre, aucune trace du père qu'il avait perdu, pas même une trace de son absence. Peut-être aurait-il pu pleurer s'il avait compris le langage des symboles, ou s'il avait au moins pu faire un effort d'imagination mais il ne comprenait rien, et il n'avait plus d'imagination, son esprit butait sur la présence concrète des choses qui l'entouraient, au-delà desquelles il n'y avait rien. Matthieu regardait la mer et il savait que son insensibilité n'était rien de plus que le symptôme irréfutable de sa bêtise, il était une bête qui jouissait du bonheur inaltérable et borné des bêtes, et une main se posa sur son épaule, en laquelle il crut reconnaître celle d'Izaskun qui l'aurait rejoint dans le jardin parce qu'elle souffrait de le voir seul et qu'il lui manquait. Il se retourna pour se retrouver face à Aurélie.

— Comment vas-tu, Matthieu ?

Elle le considérait sans colère mais il baissa les yeux devant elle.

— Je vais bien. Je ne suis même pas triste.

Elle s'approcha de lui et le prit dans ses bras,

— Bien sûr que si, tu es triste, tu es très triste,

et le chagrin qu'il avait traqué en vain tout l'après-midi était là, enveloppé dans les paroles de sa sœur, loin du support inutile des symboles ou de l'imagination, il fondit sur Matthieu qui se mit à pleurer comme un enfant dans les bras d'Aurélie. Elle lui caressa les cheveux et l'embrassa sur le front et le força à lever les yeux vers elle.

— Je le sais bien que tu es triste. Mais ça ne sert à rien, tu comprends. Ta tristesse ne sert à rien, ni à personne. C'est trop tard.

Le 15 juillet, il reçut une lettre de Judith Haller qui lui annonçait son succès à l'agrégation, elle voulait partager sa joie avec lui, même de loin, elle n'attendait pas de réponse, elle espérait qu'il était heureux – était-il heureux ? mais Matthieu ne se posait pas cette question, il regardait la lettre comme si elle lui était parvenue d'une galaxie lointaine et pourtant étrangement familière, dont les irradiations éveillaient en lui les échos confus d'une autre vie. Il rangea la lettre dans sa poche où il l'oublia pour déboucher des bouteilles de champagne en l'honneur du départ de Sarah. Elle était tombée amoureuse d'un éleveur de chevaux qui venait de lui proposer de s'installer avec lui, quelque part dans le Taravo. C'était un homme d'une quarantaine d'années qui ne s'était signalé, tout au long de l'hiver, que par sa sobriété suspecte et l'obstination qu'il mettait à franchir par tous les temps les kilomètres séparant le bar de son village perdu au bout du monde. Il s'installait à un coin de comptoir, devant une eau gazeuse, apparemment absorbé dans une méditation mystérieuse. Il ne regardait pas les serveuses, n'essayait pas de leur toucher les fesses ou de les faire rire, allant même jusqu'à refuser poliment les caresses de bienvenue d'Annie, et il était impossible de deviner à quel moment, et par quels moyens, il avait bien pu nouer une idylle avec Sarah qui se pendait maintenant à son cou et le couvrait de baisers en le forçant à boire du champagne. Pierre-Emmanuel chantait des chansons d'amour avec une emphase comique, il posait sa guitare pour se faire servir et ébouriffait les rares cheveux de Virgile Ordioni en lui désignant l'heureux couple,

— Tu vois, Virgile, peut-être que toi aussi tu vas finir par te trouver une petite !

et Virgile rougissait et riait et il disait,

— Eh oui ! Moi aussi, peut-être, pourquoi pas ?

et Pierre-Emmanuel lui tirait l'oreille en criant,

— Ah ! Le salaud ! Le cochon ! Ça te plaît, les filles, hein ? Tu es un numéro, toi !

et il reprenait sa guitare pleine de trémolos pour raconter l'histoire d'une jeune femme si belle que sa marraine ne pouvait être qu'une fée. À deux heures du matin, Sarah rassembla ses affaires, les chargea dans le gros 4x4 boueux de son nouveau compagnon et vint faire ses adieux. Rym la serra dans ses bras en pleurant, elle lui fit promettre de donner des nouvelles de son bonheur, Sarah promit et versa à son tour quelques larmes en embrassant chacun de ceux qu'elle quittait, elle dit à Matthieu et Libero que les avoir rencontrés était la meilleure chose qui lui fût jamais arrivée, elle ne les oublierait pas, là où elle serait, ils auraient leur foyer, ce que l'éleveur taravais confirma d'un signe de tête, et Matthieu la regarda partir avec une émotion presque paternelle car il ne doutait pas que son ombre tutélaire s'étendrait à jamais sur la vie de Sarah. Matthieu était particulièrement satisfait de lui-même et fut contrarié de constater que Libero ne partageait pas cette heureuse disposition d'esprit, il allait et venait nerveusement, s'isolait sur la terrasse pour des conciliabules répétés avec Vincent Leandri et engueulait les filles qui persistaient à pleurnicher niaisement au lieu de finir leur boulot et de débarrasser le plancher pour aller pleurnicher dans leur lit, ou n'importe où ailleurs si ça leur chantait. Quand les filles furent parties, Annie proposa de rester pour accueillir d'éventuels noctambules. Libero la foudroya du regard.

— Non ! Tu te casses toi aussi. Tu ferais bien de te reposer, tu ressembles plus à rien.

Elle ouvrit la bouche pour dire quelque chose mais se ravisa et sortit sans dire un mot, laissant Libero seul avec Vincent Leandri et Matthieu qui semblait complètement perdu.

— C'est de voir partir Sarah qui te fait péter les plombs comme ça ?

— Non. C'est Annie. Elle nous vole, la salope, j'en suis sûr.

Depuis le début de la saison, Annie avait pris l'habitude de rester au bar après l'heure de fermeture, injustement fixée par l'arbitraire d'un arrêté préfectoral à trois heures du matin. Quand Libero ou Matthieu étaient rentrés se coucher avec le contenu de la caisse et le revolver à la ceinture, elle restait héroïquement assise sur son tabouret derrière le comptoir, prête à servir les derniers ivrognes qui sillonnaient la région en quête d'un endroit accueillant où ils pourraient achever leur voyage vers le coma éthylique. En cas de passage, très improbable, de la maréchaussée, elle pourrait prétexter que le bar était fermé, la caisse faite, et qu'elle goûtait avec quelques amis intimes aux joies d'une soirée privée. Elle ne faisait les tickets qu'au tout dernier moment, quand il était certain qu'aucun képi ne rôdait dans le secteur. Ce stratagème, dans lequel on ne pouvait que saluer un acte de résistance civique contre l'iniquité de l'État, ne fit d'abord que des heureux : les ivrognes errants, éperdus de gratitude, pouvaient désormais compter sur un point de chute, Annie était récompensée de son dévouement par de généreux pourboires qui s'ajoutaient au paiement de ses heures supplémentaires, et le chiffre d'affaires du bar s'en trouvait augmenté. Bien sûr, il arrivait qu'Annie attende les clients en vain, et cela arrivait même de plus en plus souvent, ce qui n'alerta pas Libero avant que Vincent Leandri ne lui signale par le plus grand des hasards que des amis ajacciens étaient passés boire un verre le samedi précédent en sortant de boîte, alors qu'Annie avait affirmé n'avoir vu personne cette nuit-là. Libero demanda à Vincent Leandri s'il était certain de la date, et ce qu'avaient consommé ses amis, et en quelles quantités, si bien que Vincent les appela pour leur demander de confirmer eux-mêmes l'exactitude de ses renseignements. Libero était fou de rage et rien ne semblait devoir le calmer, Vincent lui faisait remarquer avec un fatalisme empreint de sagesse que les serveuses piquaient dans la caisse depuis toujours, c'était une loi de la nature, et il l'exhortait en vain à l'indulgence, Matthieu lui répétait que ce n'était pas si grave, mais il ne les écoutait pas, il voulait confondre Annie en la prenant sur le fait, c'était la seule chose à faire, faute de quoi elle nierait tout en bloc, la grosse pute, la garce, l'infâme salope, et il ne s'apaisa que quand il eut trouvé comment organiser le flagrant délit que sa colère vengeresse réclamait. Il recruta en ville un groupe de jeunes gens dont il s'assura qu'Annie n'en connaissait aucun et leur donna de l'argent qu'ils avaient pour consigne de dépenser au bar jusqu'au dernier centime dans la nuit du lendemain. Ils devraient prétendre qu'ils étaient de passage dans la région et qu'ils n'avaient pas l'intention d'y remettre les pieds et, surtout, ils prendraient soin de noter tout ce qu'ils avaient consommé avant de faire à Libero le compte rendu exact de leur beuverie, mission dont ils s'acquittèrent avec une irréprochable loyauté. Le surlendemain, quand Annie prit son service dans l'après-midi, Libero l'attendait donc au bar avec un large sourire.

— Tu as eu un peu de monde, cette nuit ?

Son sourire se figea un instant quand Annie lui répondit "oui" en lui tendant des billets entourés de tickets de caisse. Libero les compta et se remit à sourire.

— Pas grand monde, donc.

Non, pas grand monde, juste deux types de Zonza qui s'étaient arrêtés boire un coup deux minutes en remontant chez eux, elle avait attendu, et puis elle avait fermé vers cinq heures, la nuit avait été longue, ça ne pouvait pas marcher à tous les coups, ça ne faisait rien, et Libero se mit à hurler sans tenir compte des clients qui sursautaient,

— Tu as pas bientôt fini de me raconter des conneries ?

et il hurla qu'il savait qu'elle avait eu des clients mais Annie répondait,

— Non ! Ce n'est pas vrai ! Non !

avec une moue butée de gamine, et il s'avança vers elle les poings serrés en décrivant chacun des jeunes gens et en faisant la liste de ce qu'ils avaient bu et il lui dit combien ils avaient payé, accumulant impitoyablement les preuves jusqu'à ce qu'elle n'eût plus d'autre ressource que de fondre en larmes en demandant pardon. Libero se tut. Matthieu pensa avec soulagement que l'épisode était clos, Annie en serait quitte pour une engueulade de première catégorie, des menaces de châtiment à la première incartade, elle rendrait l'argent, et tout recommencerait comme avant, elle le disait elle-même,

— J'ai déconné. Je vais tout te rembourser. Je ne le ferai plus, je te le jure.

Mais le silence de Libero n'était pas celui du pardon et il n'avait pas l'intention de permettre à Annie de régler sa dette.

— Je ne veux pas que tu me rembourses. Garde ce que tu as pris. Je veux que tu montes à l'appartement, tout de suite, et que tu fasses ta valise et que tu dégages d'ici. Je ne veux plus te voir. Tu dégages. Maintenant.

Annie le supplia, elle jura encore à travers ses sanglots, les clients se levaient l'un après l'autre et quittaient la salle pour ne pas être témoins plus longtemps de ce qui était en train de se passer et Annie suppliait encore, elle avait déconné mais elle avait aussi fait du bon travail, il ne pouvait pas faire ça, où irait-elle? il ne se rendait pas compte, elle avait quarante-trois ans, il ne se rendait pas compte, il ne pouvait pas la chasser comme ça, comme un chien, et elle répétait son âge, elle était à genoux maintenant, elle tendait les mains vers Libero qui restait immobile et la toisait d'un regard haineux, quarante-trois ans, il ne se rendait pas compte, elle ferait tout ce qu'il voudrait, tout, et plus elle pleurait, plus Libero se faisait rigide sous sa cuirasse de haine, comme si cette femme à terre matérialisait dans sa chair tremblante l'absolu d'un mal dont il fallait purifier le monde à tout prix.

— Je reviens dans une heure et, dans une heure, tu n'es plus là.

Quand il fut parti, elle se releva en chancelant et Rym la prit par le bras pour l'aider à remonter à l'appartement. Matthieu n'osait pas la regarder, un poids douloureux pesait sur sa poitrine, dont il ne comprenait ni la nature, ni l'origine, il attendait que la nuit tombe et que la vie reprenne, sans nouvelle surprise, car il était redevenu un petit enfant qui ne se rassure que dans la perpétuelle répétition du même, loin des pensées informes dont les remous agitaient désagréablement son esprit avant de crever comme des bulles à la surface d'un marécage, il attendait la saveur de l'alcool, cette tension constante qui le tenait éveillé, les nerfs à vif, dans un affût sans objet, et il attendait le moment du coucher, la peau d'Izaskun et le regard d'Agnès, malgré la fatigue, malgré la pesanteur acide des haleines chargées de champagne, de gin et de tabac, la salive épaisse qui collait aux dents tachées, le sommeil viendrait plus tard, malgré les paupières lourdes, malgré l'étrangeté de cette ruée vers un corps aussi épuisé que le sien, qui exsudait les mêmes toxines dans les draps humides, et nul ne fermerait les yeux sur son sommeil sans rêves avant que se fût déroulé le rite nocturne prescrit par la loi de ce monde qui n'était pas la loi du désir, car le désir ne comptait pas, pas plus que la fatigue ou la vulgarité de la jouissance, et il ne s'agissait pour chacun d'eux que de tenir sa place dans cette chorégraphie qui justifiait chaque matin leur réveil et les maintenait debout si tard dans la nuit. Chaque monde repose ainsi sur les centres de gravité dérisoires dont dépend secrètement tout son équilibre et, tandis que Rym s'installait derrière le comptoir à la place d'Annie, Matthieu se réjouissait que la stabilité de cet équilibre n'ait finalement pas été menacée, il ne sentait pas les subtiles vibrations du sol sur lequel courait un réseau de fissures dense comme la toile d'une araignée, il ne percevait pas la réticence craintive avec laquelle les filles s'approchaient désormais de Libero, bien qu'il fût à nouveau détendu et souriant, tout allait pour le mieux, Pierre-Emmanuel ne semblait pas s'alarmer de la disparition d'Annie, il avait appris une chanson basque pour faire plaisir à Izaskun, et Matthieu ne voyait pas les regards noirs qu'il lançait à Libero par-dessus son micro, Izaskun avouait qu'elle ne comprenait pas un mot de basque, elle avait grandi à Saragosse, elle souriait, tout allait pour le mieux, Matthieu buvait et ne se rendait compte de rien, mais comment se serait-il rendu compte de quoi que ce soit, lui qui n'arrivait toujours pas à croire que son père était mort? À deux heures, Pierre-Emmanuel plia son pied de micro, enroula les câbles et rangea sa guitare. Libero lui donna son cachet.

— Tu aurais pu m'en parler, pour Annie, tu ne crois pas?

Libero se tendit comme sous l'effet d'un choc électrique.

— Occupe-toi de ton cul, connard, tu as compris? Occupe-toi de ton cul.

Pierre-Emmanuel resta un instant interdit et il mit l'argent dans sa poche et alla récupérer sa guitare en disant,

— C'est la dernière fois que tu me parles sur ce ton.

— Je te parle comme j'ai envie de te parler.

Pierre-Emmanuel sortit, la tête basse, et le bar resta figé dans le silence. Matthieu sentait à nouveau le poids mystérieux osciller de sa poitrine à son ventre et il demanda à Libero ce qui n'allait pas. Libero lui fit un grand sourire et remplit leurs verres.

— C'est comme ça, avec ces cons-là. Si tu es gentil, ils t'enculent, ils sont trop cons, la gentillesse, la faiblesse, ils ne font pas la différence, c'est trop compliqué pour eux, il faut leur parler le langage qu'ils comprennent, et ça, crois-moi, ils le comprennent bien.

Matthieu acquiesça et alla s'asseoir dehors avec son verre. Il regarda la nuit avec mélancolie en songeant pour la première fois que ses yeux ne voyaient peut-être pas la même chose que ceux de son ami d'enfance. Il sortit la lettre de Judith de sa poche, il la relut et, sans tenir compte de l'heure, il prit son téléphone.

Au bout de trois heures d'attente interminable qui n'avaient pas entamé sa colère, Aurélie fut reçue par un employé du consulat. Les fouilles étaient terminées, ils n'avaient pas trouvé la cathédrale d'Augustin mais il restait tant à faire, ils la trouveraient un jour, et le marbre de l'abside où l'évêque d'Hippone, entouré de clercs en prière, avait agonisé brillerait à nouveau sous les rayons du soleil. Aurélie avait invité Massinissa Guermat à venir passer quinze jours avec elle au village et il venait de lui apprendre qu'on lui refusait son visa. Devant les murs couverts de barbelés de l'ambassade s'allongeait une file de trois cents mètres dans laquelle des hommes et des femmes de tous âges attendaient stoïquement leur tour d'apprendre que le dossier qu'ils tenaient à la main n'était pas recevable parce qu'il y manquait une pièce qu'on ne leur avait jamais demandée. Aurélie se présenta directement au sas de sécurité et fit valoir sa qualité de Française pour qu'on la laissât entrer mais la réceptionniste du consulat lui fit payer ce privilège en lui demandant d'aller s'asseoir dans un fauteuil où elle prit bien soin de l'oublier. L'employé portait une chemisette à rayures et une cravate hideuse et Aurélie comprit au bout de quelques minutes qu'elle n'obtiendrait pas les explications qu'elle était venue chercher, personne ne consentirait à réexaminer le dossier de Massinissa, car il ne s'agissait ici que d'exercer avec une délectation répugnante un pouvoir qui ne se manifestait que dans les caprices de son arbitraire, le pouvoir des minables et des faibles, dont ce type en chemisette était le représentant parfait, avec le sourire idiot et suffisant qu'il lui adressait du haut de la citadelle imprenable de sa bêtise. Au bureau d'à côté, une vieille femme en hidjab serrait une petite fille contre elle et se recroquevillait sous un déluge de reproches méprisants, son dossier n'était ni fait ni à faire, il était sale, illisible, bon pour la poubelle, et Aurélie s'entêtait à lutter inutilement avec les armes inoffensives de la raison, Massinissa était docteur en archéologie, il était titulaire d'un poste à l'université d'Alger, croyait-on que sa situation était insatisfaisante au point qu'il rêvât de l'abandonner pour avoir l'honneur de travailler au noir sur un chantier français ? Elle-même était maître de conférences, s'imaginait-on qu'elle occupait ses loisirs à monter des filières d'immigration clandestine ? Il ne s'agissait que de quelques jours de vacances, au terme desquels Massinissa rentrerait bien sagement en Algérie, elle s'en portait garante, mais le type en chemisette demeurait imperturbable et elle avait envie de lui planter dans le bras la paire de ciseaux posée sur son sous-main de cuir. Elle quitta le consulat dans un état de rage indescriptible, elle avait envie d'écrire au consul, à l'ambassadeur, au président, pour dire qu'elle avait honte d'être française et que l'attitude des employés qu'elle avait rencontrés les déshonorait en même temps que le pays qu'ils étaient censés représenter, mais elle savait que cela ne servirait à rien, et elle se résolut à partir seule pour le village, au moins pour une semaine, avant de rejoindre Massinissa à Alger, au mois d'août. Elle avait besoin de voir sa mère, et plus encore son grand-père. Elle ne pouvait pas l'abandonner. Elle était certaine, si fort qu'elle souffrît de la mort de son père, que Marcel en souffrait bien davantage, au-delà même de ce qu'elle pouvait concevoir, car il était dans l'ordre des choses que les enfants enterrent leurs parents mais le bouleversement intolérable de cet ordre ajoutait le scandale à la douleur, elle voulait reprendre ses promenades vespérales avec lui, en lui tenant le bras, et c'est ce qu'elle fit pieusement, émue de le sentir s'appuyer à elle, si fragile et infiniment vieux. Quand il s'était couché, elle allait boire un verre au bar, à défaut d'autres distractions possibles. Le jeune guitariste avait fait des progrès, sa technique vocale s'était améliorée mais il avait conservé un goût coupable pour les ballades sirupeuses, de préférence italiennes, qu'il chantait en fermant les yeux comme pour contenir le flux considérable de son émotion avant d'accueillir les applaudissements avec l'air modeste de celui qui ne doute pas de les avoir amplement mérités, il se dirigeait nonchalamment vers le comptoir en ayant pleinement conscience des regards féminins qui le suivaient, il se payait ouvertement la tête de Virgile Ordioni qui riait dans son innocence désarmée, et Aurélie avait parfois envie de le gifler de toutes ses forces, comme si l'ambiance délétère qui régnait désormais dans le bar l'avait contaminée à son tour. Car l'ambiance était réellement devenue délétère, il flottait dans l'air un parfum d'orage, depuis le comptoir, les hommes reluquaient grassement les décolletés des touristes, leurs cuisses rougies par le soleil, sans se soucier de la présence de maris contraints d'accepter des rafales de tournées qui ne leur étaient pas offertes par gentillesse mais dans le but avéré de les saouler à mort, Libero était contraint d'intervenir sans cesse, de tout le poids de sa jeune autorité, presque physiquement, et Matthieu semblait complètement dépassé. Aurélie avait presque de la peine pour son frère, il avait vraiment l'air d'un enfant et il n'était au fond qu'un enfant, exaspérant et vulnérable, qui ne pouvait se protéger de la menace des cauchemars qu'en se réfugiant dans un monde irréel de rêves puérils, un monde de sucreries et de héros invincibles. La veille de son départ, Aurélie fit la connaissance de Judith Haller, que Matthieu avait invitée pour les vacances et qu'il accueillit en glissant sous ses yeux, à la fermeture du bar, le pistolet dans sa ceinture et il interpréta manifestement le regard consterné de la jeune femme comme un hommage admiratif et silencieux à sa virilité. Tout heureux de son rôle de patron de bar, il offrit un verre à Aurélie et Judith qui n'était pas au bout de ses peines puisqu'il lui fut donné, le soir même, d'assister à un spectacle particulièrement riche en décibels et sécrétions lacrymales. Judith buvait son verre en discutant avec Aurélie quand un hurlement d'animal blessé la fit sursauter. Sur la terrasse, la tête enfouie dans ses mains, Virginie Susini criait et sanglotait en se balançant d'avant en arrière et elle ne laissait personne l'approcher. Apparemment, dans un incompréhensible sursaut de dignité, Bernard Gratas venait de refuser, pour la première fois, d'être convoqué à la saillie, exigeant de surcroît, avec une grande noblesse, de ne plus être dorénavant traité comme un verrat, et Virginie, qui était d'abord demeurée sans réaction, avait brusquement basculé dans une crise d'hystérie digne du grand amphithéâtre de la Salpêtrière, il n'y manquait rien, ni les spasmes, ni la tétanie, ni même un public attentif et ravi, et elle criait qu'elle voulait mourir, qu'elle était déjà un corps sans vie, et elle criait le prénom de Gratas, elle hurlait qu'elle avait besoin de lui, nouvelle de première importance, quoique fort inattendue, et qui donnait tout son intérêt dramatique à la scène, oh, elle avait besoin de lui, elle le désirait, pourquoi ne voulait-il pas d'elle ? elle était sale, elle était laide, elle voulait mourir, et quand Gratas, surpris mais ému, s'approcha d'elle et lui toucha la main, elle lui sauta au cou pour l'embrasser à pleine bouche, sans cesser de pleurer, et il lui rendit son baiser avec tant de fougue que Libero dut leur demander sèchement d'aller forniquer ailleurs que devant son bar. Les derniers clients échangèrent des commentaires graveleux, Virginie était une folle et Gratas une couille molle de Gaulois, le fait était maintenant avéré et tout le monde en riait mais Judith, elle, ne riait pas. Aurélie tenta de la rassurer.

— Ce n'est pas comme ça tous les soirs, je ne crois pas.

Le lendemain, Aurélie embrassa sa mère et son grand-père en promettant de revenir le voir bientôt, elle était triste de le quitter mais elle avait envie de respirer un peu d'air pur et de revoir Massinissa. Elle recommanda à Matthieu de prendre soin de lui et de faire un peu attention à Judith qu'elle abandonna à son sort incertain en lui souhaitant de bonnes vacances.

Il ne pouvait plus se rappeler pourquoi il lui avait téléphoné au milieu de la nuit pour l'inviter à le rejoindre. Peut-être avait-il voulu se prouver qu'il s'était suffisamment éloigné du monde qu'elle représentait pour ne plus avoir à le craindre ni à le fuir, il n'y avait plus deux mondes, mais un seul, qui demeurait dans l'unité de sa magnificence souveraine et c'était le seul monde auquel appartenait Matthieu. Il n'avait plus peur que Judith l'entraîne avec elle ou ne ravive en lui les séquelles douloureuses d'un ancien dédoublement, il voulait se montrer à elle tel qu'il était, tel qu'il se rêvait depuis toujours, mais elle ne le voyait pas. Elle lui parlait comme s'il n'avait pas changé, poursuivant d'anciennes conversations dont il ne comprenait plus le sens, et c'était comme converser avec un fantôme. Elle racontait en détail le déroulement de ses oraux d'agrégation, le son de la clochette dans l'amphithéâtre Descartes, la Sorbonne familière soudain transformée en temple du sacrifice, avec ses officiants et ses victimes, sa cruauté, ses martyrs et ses miracles improbables, elle redoutait l'épreuve d'allemand, elle avait prié pour tomber sur Schopenhauer et elle avait failli s'évanouir en lisant le nom de Frege sur le papier qu'elle venait de tirer au sort, et la grâce était tombée sur elle, tout lui semblait soudain familier, comme si le dieu de la logique lui-même s'était penché par-dessus son épaule, et Matthieu acquiesçait mécaniquement, bien qu'il ne voulût rien entendre de Frege, de Schopenhauer ou de la Sorbonne, il pensait à Izaskun avec laquelle il ne pouvait plus dormir parce qu'il avait bien fallu regagner la maison familiale pendant le séjour de Judith, pour ne pas l'abandonner à la compagnie lugubre de sa mère et de son grand-père, ce qu'il mourait pourtant d'envie de faire, et il attendait avec impatience l'instant béni où il l'accompagnerait à l'avion. Elle ne semblait d'ailleurs pas très heureuse au village, elle proposait sans cesse de ridicules projets d'excursions culturelles, elle voulait aller à la plage, elle disait que Virgile Ordioni lui faisait peur, et l'alcool lui donnait des migraines. Matthieu supporta ces manifestations évidentes de mauvaise volonté jusqu'à ce qu'il pût rendre Judith responsable de son malheur. Une nuit, pourtant semblable aux autres nuits, Pierre-Emmanuel resta assis dans un coin de la salle, sans raison apparente, pendant que les filles nettoyaient la salle et, quand elles eurent terminé, Izaskun se tourna vers lui et ils partirent ensemble. Une lente coulée de lave se frayait un chemin dans les entrailles de Matthieu. Il garda les yeux fixés vers la porte comme s'il espérait les voir revenir et Judith lui posa la main sur le bras.

— Tu es amoureux de cette fille ?

C'était une question idiote, une question mal posée, à laquelle il ne pouvait pas répondre car il lui semblait que l'amour et la jalousie n'avaient rien à voir avec la peine qui le brûlait maintenant de manière insupportable, Izaskun était sa sœur, il se le rappelait, sa tendre sœur incestueuse, au bar, il ne lui donnait jamais de marques d'affection, il n'avait aucun besoin de marquer publiquement son territoire comme la plupart des hommes aiment à le faire et personne n'aurait pu penser en les observant, qu'il y eût quoi que ce soit entre eux, et qu'y avait-il entre eux si ce n'est l'intimité du sommeil partagé, et l'accomplissement du rite assurant la stabilité du monde ? Au nom de quoi se serait-il senti jaloux ? Et il se le rappelait : que pouvait-on lui prendre qui ne finirait par lui revenir ? Mais il lui était devenu impossible de se sentir supérieur et invincible, les fondations du monde étaient ébranlées, les fissures devenaient des failles et, le lendemain, Izaskun lança toute la soirée des regards humides à Pierre-Emmanuel, elle interrompait son service pour venir l'embrasser et se coller à lui, malgré les remontrances de Libero auxquelles elle répondait en marmonnant d'obscènes malédictions ibériques, et Matthieu dut bien s'avouer qu'il mourait bel et bien d'amour et de jalousie bien qu'il ne reconnût pas sa sœur aimée dans la chatte énamourée et ronronnante qui exhibait soir après soir l'ineptie de sa passion, et il savait bien qu'elle ne lui reviendrait pas, il ne pouvait s'empêcher de penser aux performances sexuelles de Pierre-Emmanuel, il voyait des images précises, insupportables, il entendait les cris qu'Izaskun n'avait jamais poussés avec lui et il reportait toute sa haine sur Judith dont l'arrivée avait donné le signal de l'apocalypse. Elle était un corps étranger que le monde repoussait par de brusques accès de violence chaotique. C'en était fini de la plénitude et de l'harmonie. Les calamités succédaient aux calamités. Judith et Matthieu attendaient que Libero ait fini la caisse pour aller prendre un verre en boîte de nuit, quand Rym surgit dans le bar en culotte et T-shirt, l'air complètement paniqué, tout son argent avait disparu, un an de pourboires et d'économies, elle le gardait dans un petit coffre caché sous ses vêtements, personne ne le savait, sauf Sarah, et elle ne le trouvait plus, elle ne se rappelait plus exactement quand elle l'avait vu pour la dernière fois, elle parlait des projets qu'elle ne pourrait jamais réaliser, de ses rêves de jeune femme dont personne ne s'était jamais soucié de savoir à quoi elle pouvait bien rêver, elle voulait de l'aide, elle voulait fouiller l'appartement, sans accuser personne, mais il fallait bien qu'il y ait un coupable, pourtant, et elle refusait d'écouter Libero qui lui disait que ça ne servirait probablement à rien, il fallait fouiller, fouiller maintenant, et ils mirent l'appartement sens dessus dessous, retournant les affaires d'Agnès et d'Izaskun, qui prirent très mal la mise en cause de leur honnêteté, ils soulevèrent les cartons d'alcool dans la remise, et sous le comptoir, sans rien trouver, et Rym criait qu'il fallait chercher encore. Libero tenta de la raisonner mais elle ne voulait rien entendre et il finit par se mettre en colère.

— Putain ! Il y a des banques, non ? Il faut être à moitié con pour garder du fric à la maison ! C'est fini, tu le reverras plus, tu comprends ? Ça peut être n'importe qui, un des connards qui viennent vous tirer, ça peut même être moi, si tu veux, mais ça ne change rien parce que, de toute façon, tu ne reverras plus ce fric. Tu ne le reverras plus.

Rym baissa la tête et se tut. Il n'était plus question de descendre en boîte de nuit. Sur le chemin de la maison, Judith s'arrêta brusquement et se mit à pleurer.

— Qu'est-ce que tu as ? C'est Rym ?

Judith secoua la tête.

— Non. C'est toi. Excuse-moi. Ça me fait trop mal de te voir comme ça.

Matthieu reçut sa compassion comme une injure, la pire, en vérité, qui lui eût jamais été adressée. Il s'efforça de rester calme.

— Je vais te ramener à l'avion. Demain.

Judith sécha ses larmes.

— Oui.

Il était certain de ne jamais la revoir. Il ne savait pas qu'il comprendrait bientôt combien ces paroles blessantes débordaient d'amour car personne ne l'avait aimé ni ne l'aimerait jamais comme Judith et, quelques semaines plus tard, dans la nuit de pillage et de sang qui réduirait le monde en cendres, c'est à Judith qu'il penserait et c'est vers elle qu'il se tournerait de nouveau, sans tenir compte de l'heure, tout de suite après avoir appelé Aurélie. Le monde ne souffrait pas de la présence de corps étrangers mais de son pourrissement interne, la maladie des vieux empires, et le départ de Judith n'arrangea donc rien. Au bout de quelques jours, Rym démissionna et personne ne songea à la retenir. Elle était devenue maussade et aigrie, elle entretenait depuis la nuit de la fouille des relations exécrables avec Agnès et Izaskun et elle ne pouvait pas supporter l'idée de côtoyer peut-être celui qui lui avait volé son avenir. Gratas fut chargé de la remplacer à la caisse mais il ne lui était pas facile de se concentrer sur son travail avec Virginie qui venait constamment le tripoter, si bien qu'il fallait maintenant compter avec la présence de deux couples en rut dont les efforts conjoints perturbaient la bonne marche des affaires. Libero s'épuisait en vain à intervenir sur tous les tons d'une gamme qui allait des supplications aux menaces. Pierre-Emmanuel se délectait à le faire enrager, il donnait des ordres à Izaskun auxquels elle obéissait avec un empressement servile, comme s'il était le patron, il la convoquait au micro pour lui fourrer l'intégralité de sa langue dans la bouche, non sans lui malaxer énergiquement les fesses, et Libero était au bord de la crise de nerfs.

— Je vais finir par lui éclater la tête, à ce petit enculé.

Pierre-Emmanuel avait perfectionné le petit jeu mis au point à l'époque d'Annie et qui consistait à aiguiser la frustration des déshérités en leur donnant le spectacle de son propre épanouissement sexuel. Virgile Ordioni était sa victime préférée. Il l'accablait de confidences d'alcôve, lui demandait avec une fausse ingénuité ce qu'il aimerait faire à une femme s'il pouvait se retrouver seul avec elle, offrant à la réflexion de Virgile un éventail de pratiques plus salaces les unes que les autres parmi lesquelles il était censé indiquer celle qui avait sa préférence, Virgile riait et s'étranglait avec sa salive, il était violet, et Libero tentait encore d'intervenir,

— Mais tu vas lui foutre un peu la paix, dis ?

et Pierre-Emmanuel protestait de sa bonne foi et de son amitié en tapant sur l'épaule de Virgile qui volait à son secours.

— Oh ! Laisse ! Il est gentil.

Pierre-Emmanuel n'était pas gentil, Libero le savait bien, mais il ne voulait pas avoir la cruauté d'ouvrir les yeux de Virgile sur la véritable nature de son tourmenteur et retournait au comptoir en sifflant entre ses dents,

— Le petit enculé,

portant la croix acide de son ressentiment jusqu'à l'heure de la fermeture. Il descendait en ville avec Matthieu, qui retardait tant qu'il pouvait le moment de regagner la chambre de son enfance où l'inconstance d'Izaskun l'avait condamné à l'exil, ils faisaient la tournée des boîtes, couchaient parfois avec des touristes sur la plage ou dans des parkings, et remontaient au village à l'aube, saouls comme des porcs, le front collé au pare-brise de leur voiture qui zigzaguait au bord du précipice. Vers la fin du mois d'août, Vincent Leandri leur proposa de dîner au restaurant et ils confièrent le bar à Gratas. La ville commençait à se vider de ses touristes, une agréable brise soufflait sur le port, la vie semblait douce, et ils jouissaient du soulagement de passer toute une soirée loin du bar. Ils ne se souciaient pas de ce qui pouvait s'y passer et si Gratas et Pierre-Emmanuel avaient décidé d'organiser une orgie sur le billard, ils pouvaient s'envoyer en l'air en s'autorisant de leur bénédiction. Ils mangèrent de la langouste et burent du vin blanc et Vincent leur proposa d'aller prendre un verre dans l'établissement de l'ami qui leur avait présenté Annie. Quitter le village pour finir dans un bar à putes ne semblait pas être une idée extraordinairement pertinente mais ils voulaient faire plaisir à Vincent. L'ami les accueillit une fois de plus à bras ouverts et leur offrit immédiatement une bouteille de champagne. Dans un coin de la salle, sous les lumières écarlates, les filles attendaient les clients en discutant. Un gros type entra et s'installa à l'autre bout du comptoir où une fille vint le rejoindre. Des bribes de leur conversation parvenaient à Matthieu, le gros type essayait de se faire mousser en racontant des inepties et en lançant de misérables blagues auxquelles la fille répondait par un rire si forcé qu'il en était presque impoli, et Matthieu reconnut la voix de Rym. C'était bien elle, en robe noire et chaussures à talons hauts, défigurée par le maquillage. Matthieu attira l'attention de Libero sur elle et ils allaient se lever de leur tabouret pour la saluer mais elle les arrêta en posant un instant sur eux ses yeux fixes qu'elle détourna lentement en se remettant à rire comme si de rien n'était. Ils ne bougèrent pas. Le champagne tiédissait dans les coupes. Le gros type commanda une bouteille et il alla s'installer dans un box isolé. Rym prépara le plateau, le seau à glace, les deux verres et elle alla le rejoindre. Elle regarda une dernière fois Matthieu et Libero en refermant sur le box d'épais rideaux rouges.

— On va y aller.

Dans la voiture, Vincent tenta de se montrer rassurant, c'était la vie, il n'y avait pas grand-chose à faire, et encore moins à dire, il était rare que ces filles finissent à la cour d'Angleterre, pas impossible, mais quand même très rare, on pouvait le déplorer, mais c'était comme ça, personne n'était coupable. La vie. Libero avait la mâchoire serrée.

— Elles vont toutes finir comme ça. Toutes.

Il se tourna vers Matthieu.

— C'est nous qui avons créé tout ça.

Matthieu craignit qu'il n'ait raison. Le démiurge n'est pas Dieu. C'est pourquoi personne ne vient l'absoudre des péchés du monde.

Il n'était plus temps : il ne pouvait plus la rejoindre la nuit en marchant silencieusement dans les couloirs déserts de l'hôtel d'État ; elle n'attendait plus sa venue le cœur battant. Les moments qu'ils partageaient étaient maintenant lourds du poids des regards posés sur eux. Ils allaient de temps en temps passer la journée à Tipaza, pour s'éloigner d'Alger. Ils s'arrêtaient manger à Bou-Haroun, le soleil faisait bouillir les entrailles mauves des poissons sur les pierres du quai et la moindre brise rabattait vers les terrasses des restaurants des effluves de pourriture, mais ils mangeaient quand même, et remplissaient leurs verres de vin rouge servi dans des bouteilles de Coca-Cola. L'après-midi, ils marchaient ensemble sur le site, piétinant parfois un préservatif usagé abandonné par un couple qui, comme eux, n'avait pas de chambre pour abriter ses étreintes, mais dont ils ne cherchaient pas à imiter les ardeurs champêtres, car ce qui aurait pu passer pour une joyeuse transgression d'amoureux ne portait ici que la marque d'une nécessité sordide. Le mois d'août venait de s'achever, un mois de canicule, d'entrailles de poissons et d'humidité, un mois sans amour. Aurélie comprenait qu'il n'y avait qu'un endroit où elle pourrait vivre librement sa relation avec

Massinissa et cet endroit n'était ni la France, ni l'Algérie, il relevait du temps, non de l'espace, et n'était pas situé dans les limites du monde. C'était un morceau de ve siècle, qui subsistait dans les pierres effondrées d'Hippone où l'ombre d'Augustin célébrait encore les noces secrètes de ceux qui lui étaient chers et ne pouvaient s'unir nulle part ailleurs. Aurélie était triste, elle n'avait jamais été prompte à s'enflammer, le sentimentalisme lui faisait horreur, mais elle aurait bien voulu savoir où cette histoire pouvait la mener. Elle était prête à assumer tous les échecs, pour peu qu'ils fussent les siens, et il lui était particulièrement pénible de devoir capituler devant la réalité brutale de faits qui ne dépendaient de la volonté de personne. Car elle n'avait pas d'autre choix que la capitulation. La frontière d'un mur de verre transparent se dressait à nouveau autour d'elle, qu'elle n'avait toujours pas le pouvoir de franchir ou d'abattre, quoique ce fût maintenant son désir le plus cher. Massinissa l'invitait à manger des brochettes à Draria, ils s'asseyaient dans la salle familiale d'un restaurant populaire, le service était bien trop rapide et efficace, le repas ne durait pas plus d'un quart d'heure qu'ils essayaient de prolonger en buvant aussi lentement que possible leur thé à la menthe, et Massinissa payait, ils roulaient dans Alger, aux barrages, les policiers vérifiaient leurs papiers en les toisant d'un air narquois, et il la ramenait à l'hôtel dans lequel il ne pourrait pas la suivre. Elle voulut lui faire plaisir en l'invitant à son tour au restaurant chinois de l'hôtel El Djazaïr. La soirée fut épouvantable. Aurélie renonça à renvoyer la troisième bouteille de médéa bouchonné. Massinissa, d'abord pétrifié, jetait maintenant des coups d'œil furieux au serveur qui posait sur la table leurs nems de poulet et qui arborait effectivement un sourire énigmatique des plus désagréables, Massinissa était certain qu'il se moquait de lui, qu'il ne l'appelait "Monsieur" avec une telle emphase que pour lui faire sentir qu'il n'était qu'un plouc, malgré la présence de la Française, et il était de plus en plus énervé,

— Tu ne connais pas ces salauds, leur mépris, il est tout fier de son métier de larbin,

il ne touchait pas le contenu de son assiette, et Aurélie finit par demander l'addition qu'elle paya avec sa carte de crédit. Le serveur lui tendit la facturette à signer en souriant à Massinissa qui l'attrapa discrètement par le gilet et lui dit quelque chose en arabe. Le serveur cessa de sourire. Ils regagnèrent leur voiture. Massinissa n'en finissait pas de ruminer son amertume.

— Je ne pourrais pas te payer un restaurant comme ça. Les entrées à cinq cents dinars. Et ce ne sont pas des endroits pour moi, de toute façon.

Aurélie le comprenait. Elle se serra contre lui dans la voiture. Elle réussit à le convaincre de se laisser payer une chambre dans le même hôtel qu'elle, pour qu'ils puissent passer la nuit ensemble, ils feraient semblant de ne pas se connaître, il la rejoindrait sans bruit, comme à Annaba, mais elle voyait bien qu'il avait profondément honte de sa condition d'homme entretenu, et elle sentait cette honte altérer son désir au moment même où il la tenait dans ses bras. Au bout de deux jours, il repartit chez ses parents. C'était ainsi. Les fouilles étaient terminées, ils avaient regagné lentement leurs mondes respectifs et ils tendaient les mains l'un vers l'autre au-dessus d'un abîme que rien ne pouvait combler. Il est illusoire de croire qu'on peut choisir son sol natal. Aurélie n'avait pas de liens avec ce pays, si ce n'était le sang que son grand-père André Degorce y avait fait couler et les reliques introuvables d'un vieil évêque mort des siècles auparavant. Elle avança la date de son départ et fit ses valises sans rien dire à Massinissa. Que lui aurait-elle dit ? Comment quitter quelqu'un à qui l'on n'a rien à reprocher et qu'on aimerait pouvoir ne pas quitter ? Qu'auraient-ils pu faire d'autre qu'échanger des niaiseries ? Et elle craignait, si elle le revoyait, que son désir de rester encore avec lui ne la persuade de différer inutilement son départ. Elle ne lui laissa pas de lettre. Elle ne voulait pas lui laisser autre chose que son absence car c'est par son absence qu'elle hanterait Massinissa pour toujours, comme le baiser d'une princesse disparue hantait encore le roi numide qui portait son nom. Elle téléphona à sa mère pour lui dire qu'elle serait à Paris dans la soirée. À l'aéroport, elle ne se permit pas la moindre solennité dans l'accomplissement des formalités de départ. Elle regarda les Baléares par le hublot et, quand elle aperçut la côte provençale, elle essuya ses yeux rougis. Claudie lui avait préparé un repas.

— Ça va, Aurélie ? Tu as l'air fatiguée.

Elle répondit que tout allait bien, embrassa sa mère et alla se coucher dans la chambre de son enfance. À quatre heures du matin, la sonnerie de son téléphone portable la fit sortir d'un rêve dans lequel un vent étrange soufflait sur son corps et l'ensevelissait lentement sous le sable et elle savait qu'elle devait se mettre à l'abri mais elle ne voulait pas se soustraire à la tiède caresse de ce vent, une caresse si douce qu'elle y pensait encore en décrochant son téléphone. Elle entendit une respiration haletante, des sanglots, des hoquets et puis la voix de Matthieu.

— Aurélie ! Aurélie !

Il répétait son prénom et ne pouvait pas s'arrêter de pleurer.

Il n'y avait pas de hordes barbares. Pas de cavalier vandale ou wisigoth. Simplement, Libero ne voulait plus garder le bar. Il attendrait la fin de la saison, ou le milieu de l'automne, il trouverait un travail aux filles, quelque chose de bien, et il aiderait son frère Sauveur et Virgile Ordioni à la bergerie, ou il reprendrait ses études, il ne savait pas, mais il ne voulait plus garder le bar. Il n'aimait pas celui qu'il était devenu. Matthieu avait le sentiment d'être trahi. Et lui que ferait-il ? Libero haussait les épaules.

— Tu te vois passer des années ici ? Les filles qui défilent, toujours les mêmes pauvres filles. Les petits enculés du genre de Colonna. Les ivrognes. Les cuites. C'est un boulot de merde. Un boulot qui rend con. Tu ne peux pas vivre de la connerie humaine, c'est ce que je croyais, mais tu ne peux pas, parce que tu deviens toi-même encore plus con que la moyenne. Vraiment, Matthieu, tu t'y vois ? Dans cinq ans ? Dix ans ?

Mais Matthieu s'y voyait très bien. Il était même rigoureusement incapable d'envisager un avenir différent. La saison avait été difficile, c'était vrai, mais justement, le pire était derrière eux. Ils ne pouvaient pas abandonner comme ça, c'était quand même bien ce qu'ils avaient fait pour le village, tout était si mort, avant, et maintenant, ils y avaient ramené de la vie, les gens venaient, ils étaient heureux, on ne pouvait pas tout foutre en l'air comme ça, juste à cause d'une saison un peu difficile.

— Les gens dont tu parles, ce sont des abrutis qui viennent dépenser tout leur pognon pour baiser des filles qu'ils ne baiseront jamais, et qui sont trop cons pour aller directement aux putes. Je me demande si je ne préfère pas quand c'est mort. Et puis je suis fatigué. Et je veux pouvoir me regarder dans une glace.

Mais qu'est-ce que c'était que cette histoire de ne pas pouvoir se regarder dans une glace ? Étaient-ils responsables de la misère du monde ? Ils n'étaient ni des bandits, ni des maquereaux et, même quand ils auraient fermé le bar, des tas de filles continueraient à tapiner. Qu'y pouvaient-ils si Rym avait finalement accompli sa vocation de pute ? Est-ce qu'elles n'avaient pas toutes un sérieux penchant pour la putasserie, comme Izaskun ?

— Ne dis pas de saloperies, Matthieu. Pas toi.

C'était le dernier samedi soir du mois d'août. Les amis cortenais de Pierre-Emmanuel étaient venus participer à une grande veillée musicale. Ils installaient la sono sur la terrasse, les clients s'asseyaient et Virgile Ordioni sortait la charcuterie de sa fourgonnette. À minuit et demi, les musiciens posèrent leurs instruments et quittèrent la scène sous les applaudissements. Ils prirent place au comptoir, à côté de Virgile qui buvait de l'eau-de-vie dans un coin en attendant que Libero ait un peu de temps pour venir lui tenir compagnie. Pierre-Emmanuel tapa sur l'épaule de Virgile.

— Ça me fait plaisir de te voir ! Bernard, sers-nous et sers Virgile ! Sers mon ami !

Libero discutait en terrasse avec une famille d'Italiens. Il jetait de temps en temps un coup d'œil à l'intérieur du bar. Quand Izaskun passa près de lui avec un plateau, Pierre-Emmanuel l'attrapa par la taille et l'embrassa dans le cou. Elle poussa un petit cri aigu. Libero rentra.

— Izaskun, fais ton boulot, merde ! Il y a des gens qui attendent. Bernard, va t'occuper des sandwiches et de la terrasse, je te remplace.

Libero s'assit sur le tabouret derrière la caisse et se pencha vers Pierre-Emmanuel.

— Je te l'ai dit cent fois : tu la laisses travailler, et tu attends la fermeture pour baiser, c'est quand même pas difficile à comprendre, il me semble ?

Pierre-Emmanuel leva les mains en signe de reddition.

— Ah ! C'est dur quand on est amoureux ! Tu as déjà été amoureux, toi, Virgile ? Allez, raconte-nous un peu ça.

Et les Cortenais insistèrent à leur tour pour entendre le récit des amours de Virgile Ordioni qui riait en disant qu'il n'avait pas grand-chose à raconter mais ils ne le croyaient pas, ce n'était pas vrai, ils étaient sûrs que Virgile était un grand séducteur, pas vrai, Virgile ? oh, il pouvait le leur avouer sans honte, ils étaient entre amis, il les avait comment, les femmes ? Au bagou ? En dansant, peut-être ? Ah ! Oui ! De la poésie ! Il leur écrivait de la poésie, c'était ça, non ? Allez, ils voulaient savoir, ils se contenteraient d'une histoire, une seule, celle de la dernière femme qui avait succombé à ses charmes, par exemple, une seule histoire, ce n'était pas beaucoup demander, on pouvait tout confier à ses amis, ou alors il lui fallait un cadre plus favorable pour s'épancher peut-être, il était pudique, il n'avait qu'à venir en boîte avec eux, devant une bonne bouteille, il leur raconterait tout, non? N'est-ce pas qu'il leur raconterait tout? comment il l'avait séduite, ce qu'il lui avait fait au lit, si elle criait fort, mais le problème c'est qu'on ne le laisserait pas entrer en boîte comme ça, pas avec les grosses chaussures de montagne, en tout cas, impossible, et le treillis non plus, ça ne passerait pas, il y avait des règles, ça ne rigolait pas, et puis ce n'était pas très prudent, tout compte fait, d'emmener en boîte un séducteur comme Virgile, qui allait se lever toutes les femmes disponibles, en moins de deux, et plus une seule pour les autres! Il fallait quand même en laisser aux autres! Ne pas se gaver! Faire preuve d'altruisme, aussi, surtout envers des gens qui avaient fait tant de route depuis Corte, ce n'était pas très poli de ne pas leur laisser leur chance, ils ne reviendraient plus et donc, non, ce n'était pas une très bonne idée de l'emmener en boîte et Virgile riait toujours et affirmait qu'il raconterait volontiers si seulement il avait quelque chose à raconter. Libero poussa un soupir.

— Ça vous amuse? Vous pouvez pas lui foutre la paix?

— Oh! Putain! On rigole! On l'aime bien, Virgile!

Oui, ils l'aimaient bien, et il les payait bien mal de leur affection, il faisait des cachotteries, il pouvait au moins parler de sa fiancée, il devait bien avoir une fiancée, en montagne, pour se tenir chaud l'hiver, une grosse bergère bien pleine de graisse, par exemple, qui sentait la chèvre, il avait bien ça en réserve, Virgile, non? à moins qu'il n'aime pas les grosses, sans compter le problème de l'épilation, ça, quand tu es un peu délicat, une grosse bergère qui sent la chèvre et qui ne s'épile pas la chatte, il n'y a rien à faire, tu supportes pas ! tu préfères te l'accrocher autour du cou plutôt que de tirer n'importe quoi, c'est bien compréhensible, c'est ça quand on est délicat, on préfère les petites bien fraîches, et rasées, les cuisses, les mollets, la chatte, tout, c'est quand même beaucoup mieux, et Pierre-Emmanuel entreprit de faire l'éloge d'Izaskun, une chatte rasée terrible, lisse comme la main, une peau de bébé, et toute tiède, quelque chose d'incroyable, surtout au pli de la cuisse, là où la peau est toute fine, est-ce que Virgile voyait de quoi il s'agissait, une peau toute fine, dont on sentait la chaleur quand on y posait les lèvres ? et Virgile riait nerveusement, et il se mettait à baisser les yeux et à se recroqueviller dans son coin, Libero frappa un coup sur le comptoir, mais Pierre-Emmanuel continuait, il se penchait sur Virgile et lui parlait à l'oreille, c'était incroyable ce qu'Izaskun était douce, et c'était aussi un coup incroyable, par-dessus le marché, quand elle te prenait la queue dans la bouche tu avais envie de crier, est-ce que Virgile pouvait imaginer ça, est-ce qu'il le pouvait ? et un des Cortenais poussa un cri d'extase et un autre éclata de rire en disant,

— Comment tu veux qu'il imagine ? Elles sucent pas les chèvres !

et ils se mirent tous à rire tandis que Virgile s'affaissait sur son tabouret avec les restes de son propre rire coincé dans la gorge comme un gémissement. Il était presque deux heures. Le bar s'était vidé. Les filles passaient un coup d'éponge sur les tables. Libero hurla.

— Ça suffit !

Il avait les yeux hors de la tête. Pierre-Emmanuel ne prit pas tout de suite la mesure de ce qui se passait. Il agrippa l'épaule de Virgile qui ne bougea pas.

— Tu es sa mère ou quoi ? Il a pas besoin de toi, Virgile ! Il est assez…

— Tu es un petit enculé.

Matthieu s'approcha. Il vit la main droite de Libero entrouvrir le tiroir sous la caisse.

— Tu es un petit enculé et tu vas me foutre le camp d'ici avec tes enculés d'amis…

— Oh ! Parle bien !

— … avec tes enculés d'amis, j'ai dit, c'est-à-dire toi, toi et toi, si je me fais mal comprendre, les trois enculés, là, vous allez me foutre le camp d'ici et toi, regarde bien le bar, regarde-le bien, parce que, dès que tu en seras sorti, et tant que j'y serai, tu n'y remettras pas les pieds et si tu t'avises de passer la porte, tu m'entends, au moment où tu poses le pied par terre, je t'arrache la tête, et si tu crois que je plaisante, fais-le maintenant, va dehors et essaie de rentrer, espèce d'enculé ! Fais-le !

Pierre-Emmanuel et ses amis restèrent un moment debout en face de Libero dont la main était maintenant dans le tiroir.

— Allez, on s'en va.

Pierre-Emmanuel prit dans ses bras Izaskun et il l'embrassa longuement, juste à côté de Virgile.

— Je te rejoins tout à l'heure à l'appartement.

Pendant qu'il marchait vers la sortie, Matthieu vit que ses mains tremblaient légèrement. À la porte, il se retourna quand même vers Libero.

— Garde bien ta main dans le tiroir. Garde-la bien, va.

— Si tu reviens sans tes amis, j'ai sûrement pas besoin. Ne t'inquiète pas pour moi.

Libero posa ses deux mains sur le comptoir et respira profondément.

— Allez, on nettoie tout et on ferme.

Izaskun rentra dans le bar avec un plateau chargé de verres sales qu'elle posa sur le comptoir. Virgile la fixait, la lèvre pendante, les yeux vides. Elle croisa son regard et se mit à lui crier dessus en espagnol. Libero lui dit d'aller se coucher, il fit le tour du comptoir et prit Virgile par le bras.

— Allez, viens avec moi.

Il le fit asseoir au frais, sur la terrasse, et lui apporta une bouteille d'eau-de-vie. Virgile ne bougeait pas. Libero s'accroupit près de lui et lui parla longuement, il lui parla dans la langue que Matthieu ne comprendrait jamais parce qu'elle n'était pas la sienne, il lui parla d'une voix pleine de tendresse et d'amitié, en lui serrant la main, et c'était une amitié sans origines et sans fin. Virgile hochait la tête de temps en temps. Libero le laissa tout seul en terrasse. Il dit à Gratas qu'il pouvait rentrer retrouver Virginie et servit deux verres. Il en tendit un à Matthieu.

— Je ne sais pas si c'était une bonne idée de l'humilier comme ça.

— Qu'est-ce que je pouvais faire d'autre ? Et je m'en fous, de ce con, s'il veut sa rouste, je lui filerai sa rouste et ce sera tout. Je la lui filerai même s'il ne la veut pas.

La nuit de la fin du monde était calme. Nul cavalier vandale. Nul guerrier wisigoth. Nulle vierge égorgée dans les demeures en flammes. Libero faisait la caisse, le pistolet posé sur le comptoir. Peut-être songeait-il avec nostalgie à ses années d'études, aux textes qu'il avait voulu brûler sur l'autel de la stupidité du monde et dont les échos lui parvenaient pourtant encore.

> *Car Dieu n'a fait pour toi qu'un monde périssable, et tu es toi-même promis à la mort.*

Une voiture se gara devant le bar. Pierre-Emmanuel en sortit. Il était seul. Il s'arrêta sur la terrasse et regarda Libero par la porte ouverte. Mais il n'essaya pas d'entrer. Il passa près de Virgile Ordioni, lui ébouriffa les cheveux en disant d'un ton enjoué,

— C'est l'heure d'aller tirer un coup,

et il marcha vers l'appartement des serveuses. Libero baissa les yeux vers la caisse. Dehors, il y eut des coups sourds, et un hurlement plus strident que le grincement des crécelles à l'office des ténèbres. Libero sortit du bar en courant, le pistolet à la main, suivi de Matthieu. L'éclairage public était éteint mais ils virent sous la lune, au beau milieu de la route, l'ombre massive de Virgile Ordioni penché sur Pierre-Emmanuel qui n'arrêtait pas de hurler. Virgile s'était assis sur sa poitrine, lui bloquant les bras le long du corps tandis que ses jambes battaient violemment le goudron, il avait perdu une chaussure et donnait des coups de reins désespérés pour se libérer, et Virgile soufflait violemment par le nez, comme un taureau furieux, en lui faisant descendre le pantalon le long des cuisses avant de déchirer le fin tissu du caleçon, et Matthieu était incapable de bouger, il regardait la scène avec des yeux de statue, et Libero se jeta sur les épaules de Virgile pour essayer de le faire basculer en criant,

— Virgile ! Arrête ! Arrête !

mais Virgile ne bascula pas et il ne s'arrêta pas, il eut l'air de s'ébrouer gauchement, il lança un bras en arrière et Libero s'étala de tout son long sur la route, le visage levé vers les étoiles, et Virgile mit des coups de ses gros poings serrés dans les jambes de Pierre-Emmanuel et lui plaqua d'une main les genoux au sol tandis que de l'autre, il ouvrait un couteau qu'il avait sorti de sa poche, Libero se mit face à lui en criant,

— Arrête ! Arrête !

mais les moulinets continus du couteau l'empêchaient d'avancer, il repassa derrière Virgile au moment où Pierre-Emmanuel se mettait à hurler de toutes ses forces en sentant le contact froid de la lame sur son bas-ventre, et Libero martelait maintenant de coups de crosse les épaules et la nuque de Virgile qui demeurait inébranlable et se contentait de faire de grands gestes, comme s'il chassait une mouche, avant de se mettre à fouiller du bout des doigts l'entrejambe de Pierre-Emmanuel dont il approcha encore le couteau avant de se raviser car Libero le gênait, et il l'envoya encore à terre d'un revers de bras et Libero se mit à genoux et il entendit Pierre-Emmanuel pousser un hurlement qui n'avait plus rien d'humain et qui lui glaça le sang, il jeta un coup d'œil implorant à Matthieu toujours immobile et se mit à crier encore une fois,

— Virgile ! Je t'en supplie ! Je t'en supplie !

mais il criait en vain, les hurlements déchiraient la nuit, et Libero se redressa d'un seul coup en armant le pistolet et tendit le bras, droit devant lui, et tira dans la tête de Virgile Ordioni qui s'écroula sur le côté. Pierre-Emmanuel se dégagea en rampant comme s'il échappait au feu et il resta assis, le pantalon baissé, tremblant de tous ses membres et gémissant sans pouvoir s'arrêter. Il avait les jambes écorchées et une estafilade sanglante sur le pubis. Libero s'approcha de Virgile et tomba à genoux. Il y avait de la cervelle et du sang sur le goudron et le cadavre était encore agité de convulsions qui cessèrent bientôt. Libero se couvrit les yeux et étouffa un sanglot. Il se releva un instant pour regarder la blessure de Pierre-Emmanuel et il retourna s'asseoir près de Virgile dont il prit la main pour la porter à ses lèvres. Pierre-Emmanuel gémissait toujours et, de temps en temps, Libero lui disait doucement,

— Ferme ta gueule, tu n'as rien, ferme ta gueule,

et il se couvrait les yeux en sanglotant avant de répéter,

— Ferme ta gueule,

et de lever vaguement son pistolet vers Pierre-Emmanuel qui psalmodiait,

— Putain, putain, putain, putain,

sans pouvoir s'arrêter et Matthieu les regardait, immobile sous la lune. À nouveau, le monde était vaincu par les ténèbres et il n'en resterait rien, pas un seul vestige. À nouveau, la voix du sang montait vers Dieu depuis le sol, dans la jubilation des os brisés, car nul homme n'est le gardien de son frère, et le silence fut bientôt suffisant pour qu'on pût entendre le hululement mélancolique de la chouette dans la nuit d'été.

Le sermon sur la chute de Rome

Aurélie est assise près du lit où repose son grand-père. Il peut se laisser aller sans crainte à ses rêves obscurs d'agonisant car elle guette pour lui l'arrivée de la mort, et la fatigue n'obscurcit pas ses yeux de sentinelle. Les médecins ont accordé à Marcel Antonetti le privilège inouï de mourir chez lui. Ils pouvaient lutter contre la maladie mais non contre le démon de l'extrême vieillesse, l'inéluctable effondrement d'un corps en ruine. L'estomac se remplit de sang. Le cœur se rompt sous l'assaut de ses propres battements. À chaque inspiration, l'air pur embrase la chair desséchée qui se consume lentement comme une résine de myrrhe. Deux fois par jour, une infirmière vient changer les perfusions et mesurer l'ampleur du déclin. Virginie Susini apporte du bar les repas que Bernard Gratas a préparés pour Aurélie. Marcel a totalement cessé de s'alimenter depuis la veille. Claudie et Matthieu ont pris l'avion et vont arriver dans la journée. Aurélie aurait préféré qu'ils ne viennent pas mais Matthieu a insisté. Judith resterait seule à Paris avec les enfants aussi longtemps que nécessaire. En huit ans, il n'est revenu en Corse qu'une seule fois, pour témoigner au procès de Libero, à la cour d'assises d'Ajaccio, mais il n'a jamais remis les pieds au village. Il n'a pas changé. Il croit toujours qu'il suffit de détourner le regard pour renvoyer au néant des pans entiers de sa propre vie. Il croit toujours que ce qu'on ne voit pas cesse d'exister. Si Aurélie avait écouté son mauvais cœur, elle lui aurait dit de rester où il était. Il était trop tard. Il pouvait se dispenser de venir jouer ici la comédie de la rédemption. Mais elle n'a rien dit et elle attend. Dans la chambre, les volets sont mi-clos. Elle ne veut pas que la lumière trop vive blesse les yeux de son grand-père. Elle ne veut pas non plus qu'il meure dans les ténèbres. De temps en temps, il ouvre les yeux et tourne la tête vers elle. Elle lui prend la main.

Ma chérie. Ma chérie.

Il n'a pas peur. Il sait qu'elle est là, guettant pour lui la calme arrivée de la mort, et il se laisse aller contre son oreiller. Aurélie ne lâche pas sa main. La mort arrivera peut-être avant Matthieu et Claudie, à la faveur de leur communion intime, et quand elle sera là, elle emportera, en même temps que Marcel, le monde qui ne vit plus qu'en lui. De ce monde, il ne restera qu'une photo, prise pendant l'été 1918, mais Marcel ne sera plus là pour la regarder. Il n'y aura plus d'enfant en costume marin, plus de petite fille de quatre ans, ni aucune absence mystérieuse, mais seulement un agencement de taches inertes dont personne ne comprendra plus le sens. Nous ne savons pas, en vérité, ce que sont les mondes. Mais nous pouvons guetter les signes de leur fin. Le déclenchement d'un obturateur dans la lumière de l'été, la main fine d'une jeune femme fatiguée, posée sur celle de son grand-père, ou la voile carrée d'un navire qui entre dans le port d'Hippone, portant avec lui, depuis l'Italie, la nouvelle inconcevable que Rome est tombée.

Pendant trois jours, les Wisigoths d'Alaric ont pillé la ville et traîné leurs longs manteaux bleus dans le sang des vierges. Quand Augustin l'apprend, il s'en émeut à peine. Il lutte depuis des années contre la fureur des donatistes et consacre tous ses efforts, maintenant qu'ils sont vaincus, à les ramener dans le sein de l'Église catholique. Il prêche les vertus du pardon à des fidèles qu'anime encore l'esprit de vengeance. Il ne s'intéresse pas aux pierres qui s'écroulent. Car bien qu'il ait rejeté loin de lui, avec horreur, les hérésies de sa jeunesse coupable, peut-être a-t-il gardé en lui des enseignements de Mani la conviction profonde que ce monde est mauvais et ne mérite pas que l'on verse des larmes sur sa fin. Oui, le monde est rempli des ténèbres du mal, il le croit toujours, mais il sait aujourd'hui qu'aucun esprit ne les anime, qui porterait atteinte à l'unité du Dieu éternel, car les ténèbres ne sont que l'absence de lumière, de même que le mal indique seulement la trace du retrait de Dieu hors du monde, la distance infinie qui les sépare, que seule Sa grâce peut combler dans les eaux pures du baptême. Que le monde passe dans les ténèbres, si le cœur des hommes s'ouvre à la lumière de Dieu. Mais chaque jour, des réfugiés apportent en Afrique le poison de leur désespoir. Les païens accusent Dieu de n'avoir pas protégé une ville devenue chrétienne. Depuis son monastère de Bethléem, Jérôme fait retentir l'impudeur de ses lamentations sur toute la chrétienté, il gémit sans retenue sur le sort de Rome livrée aux flammes et aux assauts des barbares et il oublie, dans son chagrin blasphématoire, que les chrétiens n'appartiennent pas au monde, mais à l'éternité des choses éternelles. Dans les églises d'Hippone, les fidèles partagent leurs troubles et leurs doutes et ils se tournent vers leur évêque pour apprendre de sa bouche à quel noir péché ils doivent un si terrible châtiment. Le berger ne doit pas reprocher à ses brebis leurs craintes stériles. Il doit seulement les apaiser. Et c'est pour les apaiser qu'Augustin, en décembre 410, s'avance vers eux dans la nef de la cathédrale et prend place sur l'ambon. Une foule immense est venue l'écouter et attend, pressée contre les chancels dans la douce lumière de l'hiver, que s'élève la voix qui l'arrachera à sa peine.

Écoutez, vous qui m'êtes chers,

Nous, chrétiens, nous croyons à l'éternité des choses éternelles auxquelles nous appartenons. Dieu ne nous a promis que la mort et la résurrection. Les fondations de nos villes ne s'enfoncent pas dans la terre mais dans le cœur de l'Apôtre que le Seigneur a élu pour bâtir son Église car Dieu n'érige pas pour nous des citadelles de pierre, de chair et de marbre, Il érige hors du monde la citadelle de l'Esprit-Saint, une citadelle d'amour qui ne s'écroulera jamais et se dressera toujours dans sa gloire quand le siècle aura été réduit en cendres. Rome a été prise et vos cœurs en sont scandalisés. Mais je vous le demande, à vous qui m'êtes chers, désespérer de Dieu qui vous a promis le salut de Sa grâce, n'est-ce pas là le véritable scandale ? Tu pleures parce que Rome a été livrée aux flammes ? Dieu a-t-Il jamais promis que le monde serait éternel ? Les murs de Carthage sont tombés, le feu de Baal s'est éteint, et les guerriers de Massinissa qui ont abattu les remparts de Cirta ont disparu à leur tour, comme s'écoule le sable. Cela tu le savais, mais tu croyais que Rome ne tomberait pas. Rome n'a-t-elle pas été bâtie par des hommes comme toi ? Depuis quand crois-tu que les hommes ont le pouvoir de bâtir des choses éternelles ? L'homme bâtit sur du sable. Si tu veux étreindre ce qu'il a bâti, tu n'étreins que le vent. Tes mains sont vides, et ton cœur affligé. Et si tu aimes le monde, tu périras avec lui.

Vous m'êtes chers.

Vous êtes mes frères et sœurs et je suis triste de vous voir ainsi affligés. Mais je suis bien plus triste encore de vous trouver sourds à la parole de Dieu. Ce qui naît dans la chair meurt dans la chair. Les mondes passent des ténèbres aux ténèbres, l'un après l'autre, et si glorieuse que soit Rome, c'est encore au monde qu'elle appartient et elle doit passer avec lui. Mais votre âme, remplie de la lumière de Dieu, ne passera pas. Les ténèbres ne l'engloutiront pas. Ne versez pas de larmes sur les ténèbres du monde. Ne versez pas de larmes sur les palais et les théâtres détruits. Ce n'est pas digne de votre foi. Ne versez pas de larmes sur les frères et sœurs que l'épée d'Alaric nous a enlevés. Comment pouvez-vous demander à Dieu de rendre compte de leur mort, Lui qui a livré Son fils unique en sacrifice, pour la rémission de nos péchés ? Dieu épargne qui Il veut. Et ceux qu'Il a choisi de laisser mourir en martyrs se réjouissent aujourd'hui de ne pas avoir été épargnés selon la chair car ils vivent à jamais dans la béatitude éternelle de Sa lumière. C'est cela, cela seul, qui nous est promis, à nous, qui sommes chrétiens.

Vous qui m'êtes chers,

Ne vous troublez pas non plus des attaques des païens. Tant de villes sont tombées, qui n'étaient pas chrétiennes, et leurs idoles n'ont pu les protéger. Mais toi, est-ce une idole de pierre que tu adores ? Rappelle-toi qui est ton Dieu. Rappelle-toi ce qu'Il t'a annoncé. Il t'a annoncé que le monde serait détruit par le glaive et les flammes, Il t'a promis la destruction et la mort. Comment t'effraies-tu de ce que s'accomplissent les prophéties ? Et Il a aussi promis le retour de Son fils glorieux dans ce champ de ruines afin que soit instauré le règne éternel de la lumière auquel tu participeras.

Pourquoi pleures-tu au lieu de te réjouir, toi qui ne vis que dans l'attente de la fin du monde, si du moins tu es chrétien ? Mais peut-être ne convient-il ni de pleurer, ni de se réjouir. Rome est tombée. Elle a été prise mais la terre et les cieux n'en sont pas ébranlés. Regardez autour de vous, vous qui m'êtes chers. Rome est tombée mais n'est-ce pas, en vérité, comme s'il ne s'était rien passé ? La course des astres n'est pas troublée, la nuit succède au jour qui succède à la nuit, à chaque instant, le présent surgit du néant, et retourne au néant, vous êtes là, devant moi, et le monde marche encore vers sa fin mais il ne l'a pas encore atteinte, et nous ne savons pas quand il l'atteindra, car Dieu ne nous révèle pas tout. Mais ce qu'Il nous révèle suffit à combler nos cœurs et nous aide à nous fortifier dans l'épreuve, car notre foi en Son amour est telle qu'elle nous préserve des tourments que doivent endurer ceux qui n'ont pas connu cet amour. Et c'est ainsi que nous gardons un cœur pur, dans la joie du Christ.

Augustin interrompt un instant son sermon. Dans la foule, il voit des visages attentifs dont beaucoup sont redevenus sereins. Mais il entend encore des sanglots étouffés. Tout près de lui, contre le chancel, une jeune femme lève vers lui ses yeux voilés de larmes. Il lui jette d'abord un regard sévère de père courroucé mais il voit qu'elle lui sourit étrangement à travers ses larmes et, juste avant de reprendre la parole, il lui adresse un signe de bénédiction et c'est à ce sourire qu'il repense, vingt ans plus tard, allongé sur le sol de l'abside, tandis que des clercs à genoux prient pour le salut de son âme, dont personne ne doute.

Augustin est en train de mourir dans sa ville qu'assiègent depuis trois mois les troupes de Genséric. Peut-être ne s'est-il rien passé à Rome en août 410 que l'ébranlement d'un centre de gravité, l'amorce du basculement léger dont l'impulsion a finalement précipité les Vandales à travers l'Espagne et, par-delà les mers, jusque sous les murs d'Hippone. Augustin est à bout de forces. Les privations l'ont rendu si faible qu'il ne peut même plus se redresser. Il n'entend plus les clameurs de l'armée vandale ni les voix apeurées des fidèles réfugiés dans la nef. Dans son esprit épuisé, la cathédrale semble être redevenue un havre de lumière et de silence que protège la main de Dieu. Bientôt, les Vandales déferleront sur Hippone. Ils y feront pénétrer leurs chevaux, leur brutalité et l'hérésie arienne. Peut-être détruiront-ils tout ce qu'il a jadis aimé dans sa faiblesse de pécheur, mais il a tant prêché sur la fin du monde qu'il ne devrait pas s'en préoccuper. Des hommes mourront, des femmes seront violées, le manteau des Barbares se teintera encore de leur sang. Le sol sur lequel repose Augustin est partout marqué de l'Alpha et de l'Oméga, le signe du Christ, qu'il touche du bout des doigts. La promesse de Dieu n'en finit pas de s'accomplir et l'âme agonisante est faible, vulnérable à la tentation. Quelle promesse Dieu peut-Il faire aux hommes, Lui qui les connaît si peu qu'Il resta sourd au désespoir de Son propre fils et ne les comprit pas même en Se faisant l'un d'eux ? Et comment les hommes se fieraient-ils à ses promesses quand le Christ lui-même désespéra de sa propre divinité ? Augustin frémit sur le marbre froid et, juste avant que ses yeux ne s'ouvrent à la lumière éternelle qui brille sur la cité qu'aucune armée ne prendra jamais, il se demande avec angoisse si tous les fidèles en pleurs que le sermon sur la chute de Rome ne put consoler n'avaient pas compris ses paroles bien mieux qu'il ne les comprenait lui-même. Les mondes passent, en vérité, l'un après l'autre, des ténèbres aux ténèbres, et leur succession ne signifie peut-être rien. Cette hypothèse intolérable brûle l'âme d'Augustin qui pousse un soupir, gisant parmi ses frères, et il s'efforce de se tourner vers le Seigneur mais il revoit seulement l'étrange sourire mouillé de larmes que lui a jadis offert la candeur d'une jeune femme inconnue, pour porter devant lui témoignage de la fin, en même temps que des origines, car c'est un seul et même témoignage.

Les titres des chapitres, à l'exception du dernier, proviennent des sermons d'Augustin. J'ai choisi d'utiliser l'excellente traduction de Jean-Claude Fredouille, publiée en 2004 par l'Institut d'études augustiniennes. J'ai également cité les Psaumes et la Genèse, et repris du poème de Paul Celan Fugue de mort *les "cheveux de cendre" de la Sulamith (p. 131), elle-même empruntée, au Cantique des cantiques.*

Sans l'aide de Daniel Istria, je n'aurais jamais pu me représenter à quoi pouvait bien ressembler une cathédrale africaine du Ve siècle ni de quelle façon s'y déroulaient les prêches.

Jean-Alain Husser m'a permis de m'initier aux mystères conjoints de l'administration coloniale et des maladies tropicales, dont je me suis permis de déformer les symptômes en fonction de critères que je n'ose pas qualifier d'esthétiques.

Qu'ils soient assurés tous les deux de ma gratitude et de mon amitié.

Il y a tant de choses dont je suis redevable à mon grand-oncle Antoine Vesperini qu'il m'a paru plus simple et plus juste, plutôt que de les énumérer, de lui dédicacer ce roman qui n'existerait pas sans lui.

TABLE

BABEL

Extrait du catalogue

1184. METIN ARDITI
Le Turquetto

1185. ANNE DELAFLOTTE MEHDEVI
La Relieuse du gué

1186. JEAN GUILAINE
Pourquoi j'ai construit une maison carrée

1187. W. G. SEBALD
Austerlitz

1188. CARLA GUELFENBEIN
Le reste est silence

1189. TAYEB SALIH
Les Noces de Zeyn

1190. INTERNATIONALE DE L'IMAGINAIRE N° 28
À la rencontre des cultures du monde

COÉDITION ACTES SUD – LEMÉAC

Achevé d'imprimer en juillet 2013 par Normandie Roto Impression s.a.s., 61250 Lonrai sur papier fabriqué à partir de bois provenant de forêts gérées durablement pour le compte d'ACTES SUD, Le Méjan, Place Nina-Berberova, 13200 Arles.
Dépôt légal 1re édition : août 2013.
N° impr. : 132689
(Imprimé en France)